あたりまえだけど
なかなかできない

25歳からのルール

たいへんよくできました

吉山勇樹

明日香出版社

人生の
スタートダッシュで
差をつけろ！

振り返るのは
後からでいい

失敗を恐れる
ショボい30代にならないために
いま僕たちがしておきたいこと

まえがき

25歳。

僕は失敗の連続の日々を過ごしていた。

今は仕事のダンドリや効率化といった話を中心に、多数の企業や団体での研修や講演をしている僕だが、本当にたくさんの失敗をしてきた。

・上司に怒られ、泣きながら残業した日

・プレゼンがうまくいかず、クライアントからボロボロな評価を受けた日

・締め切りに追われ、睡魔と格闘しながらフラフラになりながら徹夜をした日

こんな「ぶっちゃけ話」を書いてほしいと言われたとき、正直、僕は躊躇《ちゅうちょ》した。

しかし仕事柄、20代や30代のビジネスパーソンにお会いする中で、

・失敗が怖くて動けない
・仕事のおもしろさがわからないからもう辞めたい
・夢がない
・上司との人間関係がダメ
・先行きがとにかく不安

といったたくさんのお声・ご相談を受けることが最近、非常に増えてきた。

そこで感じたのは、**僕が経験してきたのと同じ失敗やお悩みを持った人が多い**ということだ。

だったら、今、同じ境遇に立っているあなたに、ほんの少しでも解決のヒントになることをおすそ分けできれば、と思い、筆をとることにした。

だから、**本書にまとめた100のルールを全て実践しようと言っている訳ではない。**

人それぞれ、現在の悩み事は異なるだろう。

だからこそ、100もあれば、**1つや2つはあなたに重ね合わせてヒントにしていただけるものがある**ことを祈りたい。

もがき苦しんで、どうしようもないとき、
大失敗して、どうしようもなくヘコんだとき、
これから先が不安で、ダメだというとき、
そんなときにこそ、元気をおすそ分けできる本になればと思う。

これからの時代、僕たちがやらなくて、誰がやる？
その場に突っ立ってても、何も起きない。

さぁ、まず、はじめの一歩を踏み出そう！

２００９年９月

株式会社ハイブリッドコンサルティング代表取締役ＣＥＯ　吉山 勇樹

あたりまえだけどなかなかできない 25歳からのルール

まえがき

第1章　これからを変える「生き方」　13

ルール❶　人生に正解なんてない！　14
ルール❷　とにかく失敗する！　16
ルール❸　「夢中」になろう！　18
ルール❹　モヤモヤではなくワクワク！　20
ルール❺　具体的な達成イメージを描く！　22
ルール❻　ちょっと無理そうな目標を立てる！　24
ルール❼　「できない」と絶対に言わない！　26
ルール❽　ブレない軸を持つ！　28
ルール❾　なりたい自分になったフリをする！　30
ルール❿　偶然が人生を決める！　32
ルール⓫　石橋は叩かずに渡る！　34
ルール⓬　やめる理由ではなく、続ける理由を探す！　36

第2章　成功体質に変わる生活習慣　39

ルール⓭　足腰を鍛える！　40
ルール⓮　アタマは使わないと使えなくなる！　42
ルール⓯　「草食系」ではなく「朝食系」！　44
ルール⓰　「ガス抜きスポット」を見付ける！　46
ルール⓱　汚ないところほど掃除する！　48
ルール⓲　こだわりのワンポイントを入れる！　50
ルール⓳　ランチメニューは10秒で決める！　52
ルール⓴　カタチから入ってみる！　54
ルール㉑　「普通」とか「平均」は気にしない！　56

第3章　後悔しないキャリアのルール 59
ルール㉒ キャリアプランは周りに公言する！ 60
ルール㉓ 会社のふんどしで相撲を取らない！ 62
ルール㉔ 好きなことで食べていけばいい！ 64
ルール㉕ 同期ではなく、先輩をライバルにする！ 66
ルール㉖ 履歴書に載らない実績も自信に変える！ 68
ルール㉗ アピールすることで評価を得る！ 70
ルール㉘ 給与が安いのは会社への貸し作り！ 72
ルール㉙ 自分に与えるべき「成長痛」！ 74
ルール㉚ 興味のないことにこそ、興味を持つ！ 76
ルール㉛ 学生視点のプライドは捨てる！ 78

第4章　同期と差が付く仕事のルール 81
ルール㉜ 仕事とは、とことん付き合う！ 82
ルール㉝ 目的意識を常に持つ！ 84
ルール㉞ 引き出しを100個用意する！ 86
ルール㉟ 5日かかることを1日でやってみる！ 88
ルール㊱ もし、自分だったら?を考える！ 90
ルール㊲ これからの得意分野を1つ作る！ 92
ルール㊳ 前後3カ月を意識する！ 94
ルール㊴ いい加減ではなく「良い加減」な仕事を！ 96
ルール㊵ 「行動」レベルを意識する！ 98
ルール㊶ いったん立ち止まってみる！ 100
ルール㊷ 仕事は現場が全て！ 102
ルール㊸ 人に仕事を教えてみる！ 104
ルール㊹ 成功につながる失敗をする！ 106
ルール㊺ 勝利の法則をつくる！ 108
ルール㊻ 情報は「循環」させる！ 110

第5章　スムーズにいく上司と部下の接し方 113
ルール㊼ 上司と感情も共有する！ 114

ルール48 自分で抱え込まない！ 116
ルール49 上司を1人の人間として見る！ 118
ルール50 上司は使う！ 120
ルール51 主語は常に「自分」！ 122
ルール52 上司に完璧を求めない！ 124
ルール53 たまにはタメ口で話してみる！ 126
ルール54 後輩に危機感を持つ！ 128
ルール55 「学ばせてもらっている」姿勢を忘れない！ 130
ルール56 上司と部下の狭間で調整役に徹する！ 132
ルール57 失敗談を語る先輩を探す！ 134
第6章 無理せず敵ナシ！コミュニケーション 137
ルール58 甘え上手になる！ 138
ルール59 苦手な人にこそ声をかける！ 140
ルール60 応援されたいなら応援する！ 142
ルール61 ちょっとしたスキを作っておく！ 144
ルール62 言いたいことはハッキリ言う！ 146
ルール63 最初の5秒でつかむ成功方程式を持つ！ 148
ルール64 第三者の声を借りて褒め上手になる！ 150
ルール65 社交辞令で終わらせない！ 152
ルール66 相手に心の準備をさせる！ 154
ルール67 バッターボックスにきちんと立つ！ 156
第7章 オトナの衣食住のルール 159
ルール68 ガード下から三ツ星まで、自分の舌で味見する！ 160
ルール69 ダンドりを日常で徹底反復する！ 162
ルール70 そろそろ自分の体の心配もする！ 164
ルール71 どう見られているのか？を考える！ 166
ルール72 「今のところは」やらないことを決める！ 168
ルール73 戦闘服を持つ！ 170
ルール74 自分にご褒美できることに感謝する！ 172

第8章　全力あげた遊びのルール　175
ルール75　その先の楽しみを考えて仕事する！　176
ルール76　コンパ力を磨く！　178
ルール77　バカになりきる！　180
ルール78　仕事に遊びを取り入れる！　182
ルール79　食わず嫌いはやめる！　184
ルール80　ホンモノを観る！　186
ルール81　ＯＮとＯＦＦの区別をしない！　188
ルール82　遊びは力だ！　190

第9章　お金の使い方・貯め方ルール　193
ルール83　死ぬまでにいくら必要なのか？を考える！　194
ルール84　感覚ではなく実数を把握する！　196
ルール85　あえて大金をはたく！　198
ルール86　給与明細をじっくり見る！　200
ルール87　「今まで」より「今から」！　202
ルール88　20代のうちは家を買わない！　204
ルール89　学びにも時間対効果・費用対効果！　206
ルール90　僕らにできることはまだまだある！　208

第10章　本当に大切にしたい人々に　211
ルール91　愛を語ることをクサいと言わない！　212
ルール92　守るべきものは持ったもん勝ち！　214
ルール93　「ありがとう」の言葉を有り難くしない！　216
ルール94　親孝行に大小こだわらない！　218
ルール95　もらい泣きしよう！　220
ルール96　家族との予定を先に立てる！　222
ルール97　大切な人の前ではエエカッコしない！　224
ルール98　仕事を家庭に持ち込む！　226
ルール99　自分の子どもの代のことを考える！　228
ルール100　大切な人の幸せを考える！　230

カバーデザイン：AD　渡邊民人（TYPEFACE）
：D　堀内美保（TYPEFACE）

第1章

これからを変える「生き方」

25歳からのルール
01

人生に正解なんてない！

僕は今、企業の人材育成や業務改善のお手伝いをするコンサルティング業をしている。

これまでも皆で立ち上げた会社の経営者として、コンサルにセミナー講師に、と20代ながら突っ走ってきたが、今年、自分がやりたい形で事業展開ができるよう、独立したばかりだ。

これが僕の人生の「正解」か、といえば、正直、よくわからない。

人生に正解なんてない。

僕はそう言い切りたいと思う。

人それぞれに違う価値観があり、今の自分を作ってきたのも、僕なのだから、自分と向き合い、できることからやるしかないのだ。

でも新入社員から2、3年目の社員研修にお邪魔すると、気になる傾向がある。

それは、「答えを求める」ことだ。

自由な発想力を重視するような研修でも

「吉山先生、何に沿って話をすればいいのかわかりません！　教えてください。」とか、

「答えがなかなか見付かりません！」といった意見が返ってくる。

そこではたくさんのアイデアを出したり、他者の考えや意見を聞くことが主旨なのに。

僕たちは小学生の頃から、「10×10＝？」とか「鎌倉幕府ができたのは何年？」といった、1つの答えを求める問題ばかりをこなしてきた。

でも、自分の人生について考えるには「『　　＝100』になるには、どのような数式が当てはまるでしょう？」とか、「鎌倉幕府ができた背景には、どのようなことが考えられるでしょう？」といった、1つの答えに帰着しない問題を考える必要があったんだ。

20代。あなたが「現在」というステージに立ち、これから、どのような人生を歩んでいこうか？という答えを必死に導き出そうと、試行錯誤する時期が来ている。

さまざまな視点から物事を見つめよう。答えはたった1つじゃない。

それが、あなたの思考を深めるきっかけになるはずだ。

25歳からのルール
02
とにかく失敗する！

「吉山さんは失敗なんて、したことがないんじゃないですか？」

だなんて、仕事のダンドリを教えるという仕事柄、いつもテキパキしているとか、ミスがない、というように見られがちの僕だが、断言しよう。

「**失敗は星の数ほどしてきた。**」

イルカの赤ちゃんのように、生まれて間もないにも関わらず、本能で泳ぎ方を習得しているようなことは、人間にはまずあり得ない。

「そんなんじゃ、お前は辞めたほうがいい！」

「全く何を言っているのかわからない。やり直してこい！」

というように、上司や先輩から、罵倒されることなんて、数え切れないほどやってきたからこそ、できるようになってきたと思っている。

僕も、失敗はものすごく怖い。

できることなら、失敗なんてしたくない。

だけど、苦労や困難を越えて最後のエンディングを迎えるからこそ、おもしろいストーリーになるもんじゃないだろうか。

失敗なく、カンタンに自分の思い通りになるならば、それはそれでおもしろみがなくなるのかもしれない。

ホントに辛いし、しんどいけど、厳しい上司から逃げ出したくなる日も、数字や締め切りに追われてプレッシャーに押し潰されそうになった日も、**その先には絶対、自分の成長があるんだ**って、そう信じて、今までガムシャラにやってきた。

どうせいつか、最期を迎える人生だ。ホンキで体当たりしていかないで、不完全燃焼のまま終わるなんて、絶対おもしろくない。

どうせ走るなら全力で走ろう。

大勢の前でスッテンコロリンしても、誰も笑いはしない。
ゴールにたどり着くまで、必ず声援を送り続けてくれる人がいるから。

25歳からのルール
03

「夢中」になろう！

あなたは具体的な夢をお持ちだろうか?

小学生の頃、卒業文集などで、自分の夢を描いたものだが、その夢は叶っただろうか。それともどこかへ忘れ去られてしまっただろうか。

僕たちが生きる現在、夢を持っても叶えっこない、という落胆の声をよく耳にする。

でも夢を持て、将来を見据えて頑張れ！と周りが理想を唱える。もううんざりだ、という人もいるんじゃないだろうか。

そんな人にはっきり言おう。

夢は、誰かに言われて持つものではない。だから、明確な夢を持つ必要はない。

しかし、考えてほしい。夢というと「実現の難しいもの」「長期的なもの」「大きなもの」と思い込んで、身構えてしまっていることはないだろうか。

あなたが夢だと思えば、短期的なものでも、夢にしてしまっていいのだ。

なりたい自分とは？夢って何？と自問自答しても、答えが出てこない人が圧倒的に多い。僕もそんな1人だ。将来の夢は？と聞かれても、すぐ答えることなんかできない。

だから僕は、「自分の夢」について質問されたら、「週末に映画を見に行く」とか、「スーツを新調する」とか、「会社の業績を前期に比べ＊％向上させる」というような、小さな予定か中長期目標までを1つ1つ「夢」と呼び、常に夢を見続ける状態、すなわち**夢中でいることが夢だ**、と答えている。

どれだけ小さくとも、短期的なものであろうとも、懸命に取り組んでいった結果が、自分を構成すると信じている。いきなり大きな夢を持とうと力んでしまうくらいなら、まずは、目先の小さな夢を叶えることができればいいんじゃないだろうか。

大小問わず夢を持つことは、叶うかどうかは別としても、必ず成長の源になる。

僕も20代前半の頃から、「本を書く」という夢を持ってやってきたが、その過程で、勉強もしたし、自分の経験の振り返りもした。また締め切りに追われつつ、歯を食いしばって頑張ることもやってきた。夢を実現しようと必死になると、そのプロセスでの失敗や気付きが成長につながるものだ。

25歳からのルール
04

モヤモヤではなくワクワク！

僕は、就職活動のセミナーや学生向けのインターンシップ講座などで講演をすることがある。講座が始まる前の受講者は、いずれも緊張した面持ちで、肩に力が入っているのが、傍から見てもよくわかる。

高校、大学まではほとんど同じレールに沿って進学してきたが、これから社会に出るに際しては、自分でレールを敷いて進んでいかねばならない。不安なんだろう。

僕も、社会に出る前は働くとはどういうことなのか？とか、会社に入ってちゃんとやっていけるだろうか？など、不安で不安で仕方なかった。

一方で、自分で進路を開拓できるということは、自分の裁量でやりたい放題、好き勝手できるとも解釈できる。**要は自由なんだ。**

僕もお金や時間の使い道については社会に出てから、当然、自由度が増した。さらに独立をした今では、仕事のやり方についても自分の判断で、自由にコントロールできている。

不安のない人なんていない。でも、不安だ、心配だとボヤき続けても、何の解決にもならない。

だったら、**どうせやるなら楽しくやったほうが、不安ともうまく付き合っていける。**

あなたの日常を振り返ってみると、どうだろうか。

「朝礼での業務内容の報告は、面倒だし、気が乗らないなぁ…」とか、「誰もやりたがらない例の仕事、僕だってやりたくないなぁ…」というように、さまざまなモヤモヤがあるのではないだろうか。モヤモヤのことばかり考えていても、気分が落ちる一方だ。

どちらにせよ、やることが前提なんだったら、**モヤモヤ考えるのではなく、ワクワクしながら取り組んでみてはどうだろうか。**

あなたが朝礼で今の業務内容を発表することで、あなたの心境に変化を与えることができるかもしれない（ワクワク！）。

あなたがその仕事を処理することで、周囲の評価が上がるかもしれない（ワクワク！）。

最近、元気のない人ほど、このような発想の転換をして、いつも眉間に寄せていたシワを一気に解消してみよう。

25歳からのルール
05

具体的な達成イメージを描く！

お正月を迎えると、必ずといっていいほど、「今年の抱負は？今年の目標は？」と聞いてくる先輩経営者がいる。

その先輩経営者は、さまざまな人に対してそれを聞いて回り、ある視点からチェックをしているというのだ。

その「視点」とはズバリ、**客観性**だ。

たとえば、今年の抱負は？と聞かれて「仕事を頑張ること！」とか「周りに評価されること！」と言っているようでは、ダメ出しでコテンパンにされてしまう。

その目標が達成できたかどうかを、客観的に評価できるようにすることが大切なのだ。

仕事を頑張るというのは、「営業目標を１５０％で達成する」とか、「会社の業績を昨年の2倍にする」といった評価軸を明確にすることが求められる。

生き方においても、そうだ。

「一生懸命生きる」ことや、「気合を入れて頑張る」ことが大切なのは、誰もがわかっているはず。

どうすれば一生懸命やったといえるのか？どうすれば、頑張ったと胸を張ることができるのか？を具体的に描くことが肝心なのだ。

たとえば、「今年1年間で100万円貯金する」とか、「毎朝6時に起床してジョギングし体力作りに努める」というように、**事後検証できるくらい具体的なところまで、目標を落とし込むこと**だ。

このような細分化された1つ1つの目標こそが、あなたの生き方そのものに刺激を与えてくれ、成長を促す良い材料になってくれるはずだ。

最初から、大きなものをやってのけようとしなくていい。

まずは一歩、いや半歩でも良い。

具体的に前進することが、なりたい自分に近づくヒントになってくれる。

25歳からのルール
06
ちょっと無理そうな目標を立てる！

夢を持とう！

目標を掲げよう！

確かにゴールを見据えて、日々頑張ることは大切なことだ。

しかし、それが達成できなかったときのことを先に考えてしまうことはないだろうか？

失敗は怖い。恥もかきたくない。そんな不安ばかりが噴き出してきて、結果として、**目標を立てることを邪魔してしまう。**

僕も新規営業部門の立ち上げに関わったとき、部署の目標設定に際して、わかってはいるけど、保守的な目標しか立てられない自分がいた。大風呂敷を広げた結果、全くの未達成だったらどうしよう。あとから周りに「アイツは自信満々だったのに、結局できなかったな」と言われることを想像すると、大きな目標を立てることができなかった。

結局、そのとき立てた目標は達成することができたのだが、後から「もっとできたのに、なんでやらなかったのだろう」という空しさが残った。

あなたは、最初からカンタンに達成できる目標を設定し、それを達成したとき、**本当に嬉しいだろうか？**

初めて経験することがまだまだ多いという20代は、はじめは不安だらけでも、努力した結果、死に物狂いで達成した目標のほうが、充実感は大きいだろう。

また、ここで大切なのは、**まだ20代の僕たちならば、不安と戦って大きな目標を立てた結果、未達成になってもいい**ということだ。

「できないかもしれない」という不安や「恥をかいたらどうしよう」という心配と戦い、目標を掲げることができたなら、まずはそれだけでも自分に打ち勝つことができた証なんだ。そして、その目標に向けて、力いっぱい頑張ることは、あなたの成長につながる。

頂上まで到達できなくても、１度そのプロセスを経験しておくと、コツをつかむだろうし、失敗して得た教訓から、次に成功する確率が高まるのだ。

達成するために目標を立てるのではなく、自己成長のために目標を立ててみると、もっと肩のチカラが抜けるはずだ。

25歳からのルール
07

「できない」と絶対に言わない！

企業研修にお邪魔して、20代の社員の方々と、今後の人生において、自分がやりたいことについて議論したときのことだ。

「起業してみたい、海外留学もしたい。でも、今の自分には無理。」といった発言が多数出てきた。

なぜできないのか尋ねたところ、「お金がないから」「時間がないから」「今の会社ではできないから」「今の日本ではできないから」と極めて悲観的で、他力本願な意見が出てきた。

僕も学生時代は、「どうせ……できない」とか「結局……だから」といった逆接的な表現をしていたものだ。

でも、こう話すときの僕たちは、「**できないのではなく、やろうとしていない**」んじゃないだろうか。

お金や時間がないからできないのなら、お金や時間を作るためにどうすればいいのかを考えればいい。今の会社や日本でできないのなら、今の会社や日本で、どのようにすればできるのか?を考えればいいし、今の会社でないところで実現する道だってある。海外でなら実現できるのであれば、海外でやればいいだけの話だ。

結局、本当にやろうという気があれば、行動に移しているはず。今を憂えて、他者に依存しているだけでは、自分を甘やかしているに過ぎない。

やろう!と決断するのには勇気がいる。しかし、**やらないまま後悔するときのことを考えると、そちらのほうがよっぽど怖い。**

阪急グループの創始者である小林一三氏の「金がないから何もできないという人間は、金があっても何もできない人間である。」という言葉がある。

自分の失敗やできないことを他人に転嫁したり、物や環境のせいにしている人間は結果、いつまでも他力本願になってしまう。

まず、できない理由を考える際には、まず自分を省みて、矛先を自分に向けることが、第一歩なのだ。

25歳からのルール
08

ブレない軸を持つ！

僕が、仕事の効率化に関する研修やセミナーをする中で多いのが、優先順位のつけ方に関するお悩みだ。あるセミナーの終了後、受講者から、こんな質問まで出てきた。

「吉山さん、人生における優先順位って、何から手をつけるべきなんでしょうか？」

あなたも是非、考えてみてほしい。

家族のこと？　お金のこと？　キャリアのこと？　友人のこと？

僕ははっきり答えた。「**人生においては優先順位なんて存在しません。**」と。

というのも、人はそれぞれの価値観で行動している。たとえば、会社で評価され、昇進し、経済的にも満たされたいということに主眼をおく人もいれば、社会貢献し、他者の幸せに生きがいを見出している人もいる。

人生がある法則から成り立っている単純明快なものであれば、ズバリ、ここから優先的にやりましょう、と言うことはできる。でも、こればっかりは、自分自身がどうありたいか、何に対して価値を見出すのかによっても、大きく変化してくるものだ。

ここで質問に戻ろう。「人生に優先順位なんて存在しません。」と答えた後、僕はこう付け足した。「**大切なのは、自分の中にブレない軸を作ることです。**」

自分は何を大切にして生きている人なのだろう？

自分は何に最も価値を感じる人なのだろう？　と。

「人に迷惑をかけない」とか「家族のことが何よりも最優先」といったことでいい。自分は何を大切にして生きているかをつきつめて考えてみてほしい。

それらが重なり合って、自分自身の人生観へと反映されていくものだ。

僕が最近気付いた自身の価値観の1つとして、「他人の意見ではなく、自分の目で」という軸がある。この軸のおかげで、情報の収集の仕方が大きく変わってきた。今までは周囲に頼っていたことも、まずは自分で判断しようと心がけるようになった。

ブレない軸を持つことは、自分の中でやらないことや、切り捨てるべきことを明確にすることでもある。

25歳からのルール 09

なりたい自分になったフリをする！

まず、あなたの夢や目標をイメージしてみてほしい。

それは**単なる理想像で終わっていないだろうか**？

上場企業に勤めていたとき、僕は20代の内に、改めて自分の手で会社を経営してみたいという理想像を描いていた。そして、その夢を絵に描いた餅で終えるのではなく、**夢を叶えたときのフリをしてみた**。

僕が経営者になったら、どんな行動をするだろう？

僕が経営者になったら、どんな人とお付き合いするだろう？

僕が経営者になったら、どのような言動で人と接するだろう？

と、とにかく自分が経営サイドに立ったら、というイメージを膨らませた。そして、一サラリーマンながら、そのようなフリを必死でやってみた。

たとえば経営者は経営者のコミュニティがあるだろう、という思い込みから、経営者の交流会に参加したり、経営者ともなればカバンやスーツにこだわりを見せることも重要という思い込みから、オーダースーツを購入したり、重厚なカバンを購入したりした。

そんなイメージを膨らませている中、ラブコールを受けて、ベンチャーの役員を任されることになった。

役者さんが「ドラマの主人公になったら、どんな役を演じるだろう?」と思って、その役作りをするのと全く同じことだ。**まずはそのフリをするところから。**

では、あなたが人生において、なりたい自分になったら、どんな行動をとるだろうか?

夢をかなえたときの自分は、どんな日々を送るだろうか?

あなたの理想像のあなたは、どんな行動をするだろうか?

できるだけ具体的にイメージして、そんな自分になったフリをしてみよう。

夢を叶えたつもりになって、行動していると、知らない間に叶ってしまっているものだ。

理想のあなたのフリをするのは、今この瞬間からでもできることだ。

早ければ早いほどいい。もっと自分の創造の世界を広げ、**なりたい自分を演じることがなりたい自分になるための近道だ。**

25歳からのルール
10

偶然が人生を決める！

僕は高校生の頃からダンスミュージックの魅力に取り付かれ、音楽活動をしてきた。ミックスCDを作ったり、日本のみならず、海外にツアーに呼んでいただいたり、メディアに取り上げていただいたり、と、それなりに活動を謳歌していた。

そんな音楽に没頭していたある日、父親に話をしようと呼ばれた。

うちは両親共に、あまり僕に対してとやかく口出しをするタイプではなく、主体性を重視して、自分で進路ややりたいことは決めさせてもらえる環境で育ってきた。しかし、このときだけは違った。

父：「これからどうするんや?」

僕：「音楽でここまで来たし、このままやってみたいという気もする。ただ、現実を見ると、厳しいのもわかる」

父：「いっぺん、ホンマにしっかり考えろ。」

時間はそんなにかからなかった。普段何も言わない父親の一言には、重みがあった。

時を同じくして、音楽活動をする中で、知り合った多数の経営者や社会人の先輩方からも、今後の進路はどうするのか？という話をしていただいた。僕がこういう話をしよう、と言ったわけでもないのに、なぜか重なるものだ。

10年ほどたったあるとき、感謝の気持ちを伝えようと、父親にこの話をしたが、全く覚えていなかった。そのとき、何でそんな話をしたのかさえも定かではなかった。本当にたまたまの一言なのだ。

だけど、そんな偶然の積み重ねではあるが、1つ1つの出来事により、自分の将来像をイメージするようになったし、将来を考える大きなきっかけになったことは間違いない。

自分が**偶然に積み重ねてきた結果によって、それが必然になるものだ**と痛感した。

是非、あなたも、何気ない日々の出来事が自分に与える影響をイメージしてほしい。

人生においては無駄なことは何もない。何となくやっていることが、後々に影響するものだ、と考えると、ワクワクしてこないだろうか？

そうすれば、1日1日が有意義になり、生きることを楽しむことができるはずだ。

25歳からのルール
11

石橋は叩かずに渡る！

仕事柄、学生ともたくさんの接点があるが、彼らに向けてよくする質問がある。

「宴会の幹事、やったことある？」

ここでいう宴会というのは、数十人規模の大きな宴会だけでなくて、2対2の合コンでもいいのだが、意外と「幹事をやったことがある」と答える人が少ない。100人に聞けば、5人から10人程度しか幹事をやったことがないと言う。

やったことがない人に、なぜやらないのかを聞くと、「失敗して責任を追うのは怖い」「いろいろ面倒」「いつもやる人が決まっているから、その人に任せておけば間違いない」といった答えが返ってくる。

まさに石橋は叩くが、結局は渡らないのだ。

確かに失敗は怖いし、自分でやるのは面倒だ。

僕は大学入学直後、サークルなどの勧誘はたくさんあっても、新入生だけのコミュニティがないのが不思議だった。ただ、同級生の新入生にヒアリングすると、そんなコミュニティがあれば参加したいという声が大半だった。どこかで誰かやってくれないものかなぁ、と期待していたものの、いなかったので、僕が中心になって周囲に呼びかけ、５００人ほどの1年生オンリーのコミュニティができた。大学生らしく、大規模なコンパもやったし、合宿を計画したり、ビジネスやスポーツの分科会を開いたりもした。

それだけの人がいると、人間関係やイベント毎に起こるトラブルなど、多数の問題を抱えることになる。全部初めてのことばかりで、驚きと苦心の連続だったが、ほかの誰よりも見えてくるものが多くて、毎日が新たな気付きの連続だった。

今の時代、他人がこう言っていたから、とか、インターネットでこう書いてあったから、という情報は満ち溢れているが、**一番納得できるのは、実体験そのもの**ではないだろうか。

仕事においても、やってみないとわからないことが多数ある。まずやってみないことには、成功も失敗もない。**先が見えないからこそ、まず一歩、踏み出す勇気を持とう**。その一歩で必ず世界が広がるはずだ。

25歳からのルール
12
やめる理由ではなく、続ける理由を探す!

前述の通り、僕は学生時代から音楽活動をはじめ、15年ほど継続している。

学生時代に活動を共にしていたような同世代の仲間達で活動を続けているのは、今は数えるほどしかいないが、彼らとは今もなお、いい関係を継続できている。

しかしこれまでを振り返ると、やめようと思ったことが2回ほどあった。

1回目は社会人になったときだ。仕事と趣味の両立、ライフワークバランスなんて言葉はなかった時代。やはり仕事をやる以上は、そちらに集中すべきではないか? と自問自答したこともあったし、そんな時間が本当に抽出できるのか? という疑問もあった。

2回目は、拠点を大阪から東京に移すときだ。東京の住まいで音楽ができる同じ環境が作れるのか? とか、機材を運ぶことが大変だし、無理なのでは……と半ば諦めに近い感情もあった。

このように、音楽をやめる理由をいろいろ並べた一方で、僕は**続ける理由を探してみた。**

・音楽活動を通じて培ってきた人間関係、人脈は大切にしたい

・毎朝、起きて準備をする中で、自分のモチベーションの源泉としても音楽はないとやっていけない

・音楽そのものがライフスタイルの中で必須アイテムになっている。「No Music No Life」

・東京には大阪よりも大きなマーケットやシーンが展開されており、非常に興味深い

など、続ける理由のほうがより魅力的で、性にあっていると気付くことができた。

そして、続けるためにどうすればいいかを具体的に考え、行動するようになり、これまで継続することができている。

やめることは簡単だ。

しかし、続けることにもたくさんの意義があるはずだ。

ぜひ、何かを投げ出してしまいたくなったときや、やめようかどうか迷っているときには続ける理由を探してほしい。

第２章

成功体質に変わる生活習慣

25歳からのルール
13

足腰を鍛える！

あなたは**「守・破・離」**という言葉を聞いたことがあるだろうか。

華道や武道の中で語られることが多いこの言葉。

「守」は師匠の教えや、基本形に忠実にやってみること、「破」は基本形に自分のやり方などを加えたり、アレンジしてやってみること、「離」は自分なりの方法ややり方が1つのスタイルとして確立されることを表す。

たとえば、バットを握らされたとしても、スイングの仕方や球の捉え方がわからなければ、バッティングはできないだろうし、ボールを渡されても、基本フォームがわからなければ、ピッチングはできないだろう。

同じように、まるで資格マニアかのように、専門スキルばかりを追究する前に、周りとコミュニケーションを取るとか、うまく文書を書くといった基本がしっかりできていないと、仕事もうまく進めることは難しいだろう。

このように何事においても、いきなり応用をして、やってみようとするのではなく、まずは「キホンのキ」から着手することが大切なんだ。

人生における基本形とは何だろう。

「おはようございます」「ありがとうございました」といった挨拶をきちんとすること、整理整頓を行うこと、ちゃんと食べること、きちんと睡眠をとること、家族を大切にすること、子どもやお年寄りに配慮して生活すること、など、あたりまえ過ぎて、軽視してしまっていることはないだろうか。

僕も、ある学校の先生の講演で「あたりまえをちゃんと守ることがいかに難しいか」という話を聴いて、改めて自分を振り返ってみると、全くできていないことに気付いた。

守・破・離でいう「守」ができてもいないのに、次のステップになんて、行けるはずがない、と。

あたりまえという感覚は、だんだんマヒするんだと思う。

25歳を越えた今だからこそ、改めてあたりまえのことがあたりまえにできているかを見直す機会にしてみてはどうだろう。

25歳からのルール

14

アタマは使わないと使えなくなる！

「吉山くんは要領がいいですよね。」先輩の経営者からそんな言葉をいただいたことがある。

良くも悪くも、「要領がいい」という言葉を辞書で引くと、①手際が良い・処理の仕方がうまい　②手を抜くのがうまい　と2つの意味が出てくる。

僕の場合、実は②の要素も多分にあるが（笑）、手際よく物事をこなすためには、**手を動かしつつ、頭の中では別のことを考えている**ケースが多いことに気付いた。

あなたは毎朝、歯を磨いているとき、何を考えているだろうか？

寝ぼけまなこで、全くぼーっと無心の場合もあるだろうし、「奥歯のこの部分は入念に」と、歯のことを考えて磨いている場合もあるだろう。あるいは「今日は10時から会議で14時からは商談で訪問だったなぁ」と1日のスケジュールのことを思い浮かべているときもあるだろう。

僕は歯磨きに限らず、移動中の電車やタクシーの中や、1人でのランチ中など、ちょっとした合間に、何かと同時に頭の中で何かをイメージしていることが多い。結果、次のアクション予定など先を読むことが習慣となり、自分の生活に計画性が芽生えるものだ。シャワーを浴びていて、ふと新しいアイデアにめぐりあえることも多い。こんなときは忘れないうちに風呂を出て、さっさとメモを取る。

いつも行き当たりばったりだとか、目の前のことにしか集中できないという人こそ、考えてもらいたい。

たとえば「今日の晩御飯は何を食べようか」と通勤電車の中で考えることでもいいし、「明日の朝、何を着て出勤しようか」と前日の夜、湯船に浸かりながら考えるだけでいい。いきなり2つも3つも難しいことを同時に考えろ、とは言わない。まず身近なところからでいいので、**同時進行で思考できるアタマになる訓練をしよう**、ということだ。

僕は脳科学者ではないが、**アタマは使わないと使えなくなるものだ**と思う。

宝の持ち腐れにするのもしないのも、今からどう考えるか次第だ。

この本を読みながら、何かを考えることから始めてみてはどうだろう。

25歳からのルール

15

「草食系」ではなく「朝食系」！

今日、朝ごはん食べた？

厚生労働省によると、20～30代の朝食を食べない人が男女共に約3割と高いらしい。朝食を摂らない理由としては、「ギリギリまで寝ていたい」とか「時間に余裕がない」ということもあるだろう。

だが、**朝食を摂らないと脳神経細胞がきちんと機能しない**という弊害も証明されている。朝食抜きが習慣化すると、仕事など、1日の生活への影響が大きくなるのだ。

ただ、規則正しい生活サイクルを作るといっても、なかなかできないのも事実だ。特に学生時代は昼夜逆転が常習化してしまうもので、就職直後に生活サイクルになかなか慣れなかった人も多いと思う。

僕もその1人だった。ギリギリまで寝て、起きるなり寝グセを直して飛び出していた。

だけど、朝の時間の使い方を見直してから、大きく変わってきた。

毎日「会社に遅刻する」という**プレッシャーや、余裕のない切迫感に追われるくらいなら、30分、いや、15分早く起きるほうがマシ**だ、と考えるようになった。

すると、それまではスーツを着るというより「羽織っていく」といったほうが正しいくらいに慌てていたのが、身だしなみもきちんとして家を出ることができるようになった。

さらには少し時間に余裕を持って出勤できるようになり、満員電車の悪夢とも毎日戦わずに済むといった好循環が生まれるようになった。

ただ、ここで改めて考えてほしい。

なぜ、朝、早起きするのか？

早朝ミーティングや早朝勉強会などの「朝活」も最近多く行われているが、そこに来て居眠りをしていたり、寝癖ボーボーでネクタイもひん曲がっていては、本末転倒だ。

「朝食を摂り、生活バランスを整えるために早起きする」とか、「余裕を持って身だしなみを整え出勤するために早起きをする」という本来の趣旨を改めて見直した上で、**朝食系男子・朝食系女子を目指してほしい。**

25歳からのルール 16

「ガス抜きスポット」を見付ける！

僕は20代は多少無理をすることが必須だと思う。

とはいっても、人間、頑張りすぎると、いつかはダメになる。

20代前半の頃、営業部門の立ち上げをやっていたときのこと。チームの目標達成に向けて、ただがむしゃらに毎日成果を出そうと走り回る日々だった。

当然、毎日終電で帰宅し、クタクタになった状態で眠りにつく。しかし、あっという間にアラームに叩き起こされ、また出勤。こんなサイクルを繰り返し、土日も少しだけでもこなしておこう、と出勤していた時期があった。

そんな中でも、プライベートの時間は確保して、学生時代から続けていたフットサルに友人との飲みの付き合いなど、時間の合間を縫ってはフルスロットル状態で活動していた。

そんなある日、朝出勤しようと、目が覚めたとたん、身体が全く動かない。

意識はハッキリしているし、目も覚めているのに、起き上がることができない。病院で診てもらったところ、極度の緊張による筋肉の痙攣を起こしているという。ドクターからは「完全に疲労です。」と言われた。休むことを忘れてしまっていたのだ。

中学生の頃にも、放課後はサッカーの練習や試合、夕方遅く帰宅してから塾に行き、帰宅後も宿題や予習復習を、といった毎日を過ごしていた結果、血尿を出して倒れてしまったことがあった。まさにその再来だった。

何か1つのことに熱中してしまうと、無茶してでもやってしまう……　若さゆえの勢いがそうさせたのだろう。猛反省だった。

最近思うのは、人間は、脆いことだ。熱くなって勢い良く走っていたと思っていたら、突如壊れてしまう。

そのためには、**早いうちから、自分が息抜きできる場所を見付けること**だ。

人間、甘えられるところがなく「八方塞がり」になると必ずつぶれてしまう。

実家のコタツとか、親友のおウチでもいい。カフェでのひと時でも南の島のハンモックの上でもいい。

具体的なガス抜きスポットの存在が、バランスよく生きていくためのポイントになる。

25歳からのルール
17

汚ないところほど掃除する！

あなたの自宅を振り返ってみてほしい。汚れやすい箇所といえばどこが思いつくだろうか？　お風呂、トイレ、台所、などの水周りや玄関といったところだろうか。

僕も1人暮らしを始めたときは、そこは「また今度」とか、「もう少し汚れたら掃除しよう」などと、どうしても掃除を後回しにしてしまう「回避エリア」だった。

汚いからこそ、掃除するのはツラくて当然なのだ。

そんなとき、独立して自分のお店を開いた経営者としての先輩のお店にお邪魔した。

「先輩、このお店を始めるにあたって一番気を遣っていることは何ですか？」と何気なく質問したことに対する回答が、「トイレ掃除」だったのだ。

「吉山君、ウチの店のトイレ見たか？　便器なめてくれてもいいくらいキレイやで。絶対トイレや。」

「なぜトイレなのですか？」という問いに対しても、即答だった。

「常に謙虚な気持ちで仕事に臨むことができるんや。ここだけは全部、オレがやってるよ。」

「オレがやっている」というところがポイントだ。

本来はアルバイトに任せるようなトイレ掃除を、経営者自らが率先して行うには、自尊心を捨てるしかない。しかし、そうすることで、丁重な接客につながったり、上から目線ではなく、常に目線を合わせた周囲とのコミュニケーションができるようになった、というお話も伺えた。

僕もそれから、**自宅やオフィスの「回避エリア」の掃除**を可能な限り継続している。朝起きてトイレを磨き、シャワーを浴びながら気が付いたら風呂場の壁や床をこすっている。

不思議と気持ちが真っ直ぐになり、しっかりしなきゃ、という心持ちになってくる。

また、自宅でこういうことを継続していると、公衆トイレなどで、お掃除係の方がいらっしゃると、思わず会釈したり、「いつもご苦労様です」とお声がけをしてしまう。それが巡り巡って、周囲の人へのありがたみや感謝の言葉へと変わる。

毎日ではなくてもいい。まずはできることからやってみよう。

必ず、自分を戒める、いい機会になるはずだ。

25歳からのルール
18

こだわりのワンポイントを入れる！

あなたは何か「こだわり」があるだろうか？

「朝ごはんはゴハン派！」とか、「ボールペンより万年筆！」とか、「勝負時のネクタイは赤！」というように1つ2つは誰でも何かしら自分なりのこだわりを持っているものだ。

しかし、なかなか意識するものでもなく、周囲に気付かされるケースも多い。

僕も「吉山さんはいつも靴がキレイですねー」と同僚に言われて初めて、そういや、前日や朝に磨いた靴を履いて出かけることが多いなぁ、と気付かされたことがあった。

磨いた靴を履いて仕事に行く、という行為は僕自身は何気なくやっていたことだ。今改めて、これを「こだわり」と定義づけたとすると、なぜそんなこだわりを持っているのか？　を考えてみた。

僕は研修や講演、コンサルティング業務でいろんな企業にお邪魔する機会が多い。

講演ともなると一期一会で、初めてお会いする人が大多数を占める。そんな場所にヨレヨレの格好をしていくことはできない。「オシャレは足元から」とよく言うが、靴ありきでスーツやジャケット、ベルトとのバランスを見るようにしている。

また、講演は1〜2時間、研修となると人前に1日8時間近く立っている。

そうなると、毎日毎日、ピンと張り詰めた緊張感がある。見られているという感覚だ。

だから、キレイな靴を履いていることが、自分の中に、いい緊張感を持たせてくれる。

汚してはならない、いや、汚したくないという心理も働いているのだろう、かかとの上げ方や1歩の出し方など、キレイな歩き方や姿勢にまで意識が働くきっかけとなる。

こだわりをワンポイントでいいので入れておくと、ブレない軸ができるものだ。

僕の場合、キレイな靴を履くことで気持ちが引き締まり、仕事＝戦場へ赴く際の気持ちの高揚や集中につながる効果が生まれてくる。

行動や心理に安定感を与えるためにも、自分なりのこだわりを発見して、継続してみてほしい。

25歳からのルール

19

ランチメニューは10秒で決める！

あなたは、コレ！と迷わず決断できるタイプだろうか。

それともあれこれと悩んで決断するタイプだろうか。

僕はもう10年以上、**即断即決で物事を決める習慣をつける**ようにしている。

たとえば、お昼休みにランチに出た際に、メニューの多い定食屋に行くと、あれこれ悩んでしまいがちだが、**即決するようなクセ**をつけている。

食べるという行為は本能的なものだ。

食欲がある以上、「何を食べたいか？」というのはパッとある程度直感で決められる。

なかなか決められないという人でも、ランチに行くにあたって、「昨日は何を食べたかなぁ」とか、「今週はゴハン系が多かったから麺類もいいな」というような想定をしているはずだ。そうすると、事前に選択肢が定まってくるものではないだろうか。

こんなことを食事の時間までやるの？と思う人もいるかもしれない。

だが、実はこのような思考習慣が、人生にも役立ってくるのだ。

というのも、大なり小なり、運命の分かれ道を通って今の自分が存在している。

「高校は私立に行こうか公立に行こうか」「どの会社に就職しようか」という進路の選択。仕事においても「A案とB案、どっちが今回の提案に適切か？」とか、OFFには「彼女を連れてデートにいくのはどこがいいだろう？」と、複数の選択肢から決断をしている。

僕たちは日常レベルから仕事の中まで、決断を繰り返してきているのだ。

決断には、時間をかけて決断できるものと、猶予が全くない切迫したものがある。

迷っていてはチャンスを失うときもあるということだ。

もちろん僕も経営者として「本当にこれでよかったのだろうか？」と不安になることもある。ただ、振り返ることはあるが、**１度決めたものには後悔はしないことにしている。**

結局は自分が選んだ道は自分しか進めない。

だから、自分の直感を信じて走りきることも必要だ。

そんな感覚を日々養っておくことで、運命の決断の際に、研ぎ澄まされた感覚が発揮できるはずだ。

25歳からのルール

20

カタチから入ってみる！

僕は今振り返ると、恥ずかしいくらい片付けのできない小学生だった。学校の机の中はゴチャゴチャで、年末の大掃除をすると、奥からカビの生えたパンが出てきたこともあるくらいで（笑）、母親からもよく叱られていた。

しかし、中学・高校と進学するにつれ、学校の机の中も、家の学習机の上も、徐々に片付いていった。今も、自宅の書斎やオフィスのデスクは、スッキリ片付いている。

これはなぜだろうか。

勉強を効率よく進めるためには、何かを調べたいときに辞書が一瞬で出てこないといけないし、テスト勉強となれば、どの科目をどの程度学習したのか進捗度を把握しておく必要があった。仕事においても、スケジュール管理のみならず、資料や筆記用具の整理をしておくだけでも、相当な時間のロスを軽減することができる。

要するに、**何か目標を達成するために、まずは環境を整えることから始めた**のだ。

学習もビジネスも然り、環境が整えば、自然と効率が上がっていった。

人間は不思議なもので、環境が整えば、それに適応する生き物なのだ。


ジョギングやフィットネスジム通いを継続して行うために、お気に入りのトレーニングウェアやスニーカーを購入するとか、キレイな文字を書くために万年筆を奮発して買ってみるとか、オフィスをピカピカに掃除するとかでいい。

まずは、自分自身をある環境におくことで、その環境に適応する行動を起こすように仕向けてしまえば、こちらのものだ。

公衆トイレなどで「いつもトイレをきれいにお使い頂きありがとうございます。」といった張り紙を見たことはないだろうか。

これは、用を足す人に対して、「感謝されているんだから、汚すわけにはいかない」といった心理を抱かせているのだ。

特に継続できないで悩んでいる人は、まずカタチから入ってみてほしい。

25歳からのルール
21

「普通」とか「平均」は気にしない！

「平均からすると、まだまだ給料が低い」こんなボヤきをよく聞く。

僕も同じように、20代前半はボヤいていた部類かもしれない。

そんな僕も、**平均を見る際には注意しないといけないことがある**と気付いたことで、そこまで平均を意識しなくなった。

どんな点に注意してみるようになったか。考えてみれば単純なことだ。

たとえば、平成20年度の家計調査報告（総務省）によると、平均貯蓄額が1680万円、平均年収が637万円という数字だった。

この平均だけを見たとき、僕たちの世代からすると、「そんなに貯金してないよ」とか「そんなに稼いでないよ」と不安になる人もいるだろう。

しかし、ここは数字のカラクリ。まず、この数字は2人以上の世帯が対象で、幅広い年代のデータであることで平均値を上昇させていることがわかる。次に着目すべきは平均貯蓄額１６８０万円を下回る世帯は68％を占める一方で貯蓄が２０００万円以上の世帯は27％、さらに４０００万円以上は、１００万円未満の世帯と同程度の10％にも上るのだ。

要するに、２極化が進んでいるために全体的な数字が薄まっている。平均値はそういう**背景をきちんと見た上で判断しないと、大きくズレた考察をしてしまう**ことになる。

平均を気にするのと同じで、「普通は夜遅くまで仕事をするものだ」とか「一般的には発言を慎むべきだ」などと、普通君や一般さんを意識した発言や行動はよく見受けられる。

でも果たして、何が普通で何が一般的なのだろうか。

周りを見渡せば、同じ価値観を持った人はいないし、顔だって、性格だって、背格好だって、違いがあり、それが個性として活きている。周囲から「普通はこうだ」「平均では違う」などと批判されることがあっても、必要以上に気にしたり、悩んだりする必要はない。クヨクヨしてしまうあなたは、本当に真っ直ぐな人だ。素直だからゆえ、周りの意見を受け止めすぎてしまう。

せっかく持った自分の考えや「らしさ」を見失うことはない。

第３章

後悔しない
キャリアのルール

25歳からのルール

22

キャリアプランは周りに公言する！

僕は学生の頃から自分で会社をやりたいという気持ちが大きかった。だから学生時代からベンチャーの立ち上げに携わったし、そのままベンチャーの事業を進めていくこともできた。だが、そうした学生生活も終わりに近づくころ、内心では「本当にこのまま就職しないでいいのだろうか？」という葛藤もあった。

そこで多数の先輩経営者やビジネスパーソンに相談したところ、「大きな企業を見るのも1つの道だし、あとからベンチャーに戻ることもできるだろう」というアドバイスをいただき、結局、大学卒業と同時に企業に就職すべく、就職活動を始めた。

僕は就職活動では、媚びることはせず、自分のありのままで会社に入ったら何をしたいか？を話してやろう、という気持ちで臨んでいた。

実際に面接の中でも「僕は御社で2・3年、大きな組織というものを勉強できたら、またベンチャーの道に進みたいと思います。」と人事部長に話した。

運よく、採用という結果になったが、入社して最初の上司に対しても、同僚に対しても、早い段階で、同じことを公言していた。

ベンチャーという道を捨てて上場企業に入るからには、中途半端なスピードでやってってはいけないし、たくさんのことを吸収したい、という一心だったのだろう。

ただ、ふと気を抜くと、弱い自分が出てきて、一気に自分の目標を見失ってしまいそうな、そんな不安に駆られたのだ。

であればいっそのこと、**周囲に公言してしまって、自分が恥をかかないように、日々全力疾走する状況を作ったほうがまし**、と考えた結果だった。

しかし、周囲と自分の目標を共有できたことで、先輩社員がベンチャー経営のビジネス書をプレゼントしてくれたり、新規事業の担当部署への異動についても、信じられないくらい人事部は協力的だった。

公言することは、夢や目標を自分の手元に引き寄せる第一歩になるのかもしれない。

25歳からのルール
23

会社のふんどしで相撲を取らない!

僕が上場企業から、教育人材コンサルティング事業を手がけるベンチャー企業に転職したときのこと。

転職のご挨拶も兼ねて、お付き合いのあった方々にアポイントを取ろうとした。

しかし、今までは容易にアポイントが取れていたクライアントから返ってくるのは、「今は忙しいから……」とか「またタイミングを見て会いましょう。」といった冷たい声だった。

ここで気付かされたのは、今までのクライアントは吉山勇樹という僕自身ではなく、上場企業という会社の看板や、相互に関わっているプロジェクトやサービスがあってのお付き合いだったということだ。

一方で、このとき、アポイントが取れて、お話を聞いてくださった企業の御担当者とはいまだにお仕事でもプライベートでもお付き合いしている。

そんなことからも、**会社の看板ではなく、自分自身を売っていくことが大切**なのだと痛感できる。

ビジネスを展開していく中では、企業規模やネームブランドといった価値《バリュー》が必要で、効果を発揮することも多いはずだが、それらのバリューは、自分が持っているものと思ってしまっては大きな勘違いだ。

しかし、会社に一切頼るな、と言っている訳ではないことを断っておきたい。というのも、年齢が若くたって、会社のふんどしを使えば、大きな仕事を担えることもあるからだ。

ふんどしが活用できるならば、フル活用すればいい。20代の頃に経験する大きな仕事は、これからの人生における何よりの知恵になるし、財産になる。

ただし、**それを「自分の力で実現できた」とか、「自分1人でもどうにかできるんだ」と思い上がってはいけない**、ということが最大のポイントだ。

丸裸で荒野の大地に放たれたときに、自分1人で生きていけるか？

極端な例かもしれないが、ぜひ考えてみてほしい。

あなた自身が価値を創造し、自立して生きていくには、必要不可決な意識だからだ。

25歳からのルール

24

好きなことで食べていけばいい！

「夢をいつまでも追いかけるなんて、バカバカしい。」

「好きなことで生活していくなんて絶対無理だ。」

こんな現実主義な発言をよく耳にするが、僕は声を大にして言いたい。

「**好きなことで大いに食っていきましょう！**」と。


夢を実現する人には2つのパターンが存在する。

夢を追いかけて一直線に進み、かなえてしまう「一直線タイプ」の人。

一方で、日々の生活や人生の岐路の中で、出会いやきっかけがあり、結果として、自分の思い通りに事が運び、気付いたら、なりたい自分になっていた「迂回タイプ」の人。

かくいう僕も後者の内の1人だ。

別に昔から、企業で研修や講演をするとは思っていなかったし、コンサルティングをやろうと思っていたわけではなかった。また本を書いているとも思わなかったし、ＮＰＯ法人の理事をやるなんて、全くイメージできなかった。それでも、そういう自分を見付けることができたし、そういう自分が好きだし、そんな自分が志を持ってやっている仕事のことは、もっと好きだ。

「好きなことで食べていくことなんてできない」という言葉は、諦めでしかない。

たとえば、音楽に興味があるならば、アーティストや演奏者だけが職業じゃない。制作会社や映像関連会社、ＣＤショップ、アーティストマネジメント会社など、好きなことや興味あることに関わる業界や仕事に就く選択肢もあるはずだ。

また、「好きなことや夢が見付からない」と言っている人も同じだ。初めから好きなことで食べていくことは難しいかもしれないが、人生、最初から明確な夢があるわけでなくても、後天的に好きなことや夢は見付かるものだ。

「見付からない」のではなく、「見付けようとしていない」自分を改めてみることからはじめてはどうだろう。

25歳からのルール

25

同期ではなく、先輩をライバルにする！

僕は小学生の頃からサッカーをやっている。小学生のときはフォワードで攻撃の核を、中学時代はディフェンシブハーフで中盤の要としてゲームメイクをする役割を担っていた。

野球やラグビーなども含め、チーム競技で共通しているのが、熾烈なポジション争いだ。先発メンバーとして活躍しようと思えば、たくさんいる部員の中でも、体格が大きく経験値も高い先輩とのポジション争いを避けて通ることはできない。「同級生の誰にも負けない」などと思っていても、先輩とのポジション争いに負けてしまうと、試合には出られない。

だから、先輩以上に練習や走りこみをしたり、ある先輩のミスが敗戦を招いたゲームを見て、自分もそんなミスをしないためにどうするか？と考えてみたりしていた。

同級生を見ていても、なかなか教訓を得られないことも、自分が早く追いつこうとしている先輩からは、得られるものだ。

これは、仕事においても全く同じことが言える。

自分がどういう仕事をしていたいのか？

自分はどんなキャリアを歩んでいきたいのか？

と考えた際に、同期をベンチマークしていても仕方がない。**理想とする先輩を超えるくらいの心持ちでいたほうが、伸びしろが大きくなる。**

「あの先輩が28歳のときに独立したから、自分もそれまでには独立するぞ」とか、「あの人は20代のうちに年収１０００万円を達成したから、自分もそれを目指して頑張ろう」ということでいい。

１人の先輩を見るのではなく、複数の先輩に対して、自分の理想像を探すことで、なりたい自分を発見できるものだ。

「同期もこんなもんだから、自分もこんなもんだろう」と勝手に決め付けることはやめよう。

自分の中でなりたい自分や理想像がない場合でも、理想を現実のものにしている先輩の姿を見れば、自分の理想像を発見できることもある。

まずは、**夢を実現している先輩を見付けることから始めてみてはどうだろう。**

25歳からのルール

26

履歴書に載らない実績も自信に変える！

履歴書を書いて、いざ自分の人生の振り返りをしてみると、今まで何をしてきたんだろう？と不安になる人も多いのではないだろうか。

これは僕も全く同じだった。

上場企業からの転職を考えた際に、「特に誇れる資格もないし、まだまだ若い中で功績といえるものはないに等しいなぁ……」と今までのキャリアを棚卸ししてみて、思い知らされた。

自信がなくなって「オレは何をしてきたのだろう」と同期と話をしていたとき、逆に怒られてしまった。

「何もしていないどころか、たくさんの功績があるじゃないか！」と。

よく聞くと、その同期からすれば、僕は「カタチに残るものをたくさん生み出した」というのだ。

新規事業担当のときには法人向けの新サービスのリリースをし、モバイルコンテンツの構築も多数したし、社内データベースの統合にも深く関わったし……　と過去やったプロジェクトを振り返ってみると、確かにその時点でもカタチあるものとして残っていた。またそれ以外にも、顧客への提案資料や部内の業務フロー図など、僕が整備して、社内に共有したものも、カタチあるものとして残っていた。

履歴書からは読み取れないが、後々残るものを僕は生み出していたのだ。

ここで大切なのは、あなたが何かを統括してまとめた中心人物として関わってなくても、**間接的にでも部分的にでも、自分が関わりカタチになったのであれば、あなたの自信にしてもらいたい**ということだ。

たとえ、ひとかけらでも失ってしまえば、ジクソーパズルは完成しないように、あなたの功績が１つでも足りなければ、その仕事は成立していなかったのかもしれないのだ。

履歴書上には記述されず、他者の評価にはならなくとも、**何かに関わり、カタチにしたという事実を自信に変えて行動すれば、おのずと結果がついてくる**のではないだろうか。

25歳からのルール 27

アピールすることで評価を得る！

僕が社会人になったときは、同僚や先輩など周りへの遠慮もあり、キャリアアップに向けた野心をむき出しにする同期は少なかった。

でも、もともと負けず嫌いで、上昇思考の強い性格の僕は、スタートダッシュの時点から、闘争心をむき出しに走りまくっていた。

そんな中、それを冷ややかに見る同期や先輩もいて、自分のモチベーションがこのままキープできるかが不安になった時期があった。

組織に入ると、空気を読んで周囲に合わせてしまったり、萎縮してしまう傾向があるものだ。いわゆる「大企業病」もこれに当たる。

周囲が見えていないと、いつしか周りの環境に溶け込んで、本来の自分を見失ってしまう。要は「腐ったリンゴ」になってしまうのだ。

しかし、ある先輩に言われたアドバイスで一気に吹っ切れた。

「自分のやったことはしっかりアピールしてくれないと、評価しようがない。」

目立ってナンボ、ということではないが、何かをやったらきちんと報連相するなり、周囲と共有することで、上司からも、誰が何をやっているのかが明確になり、評価しやすいということだ。

「自分はやっているのに、全く評価してくれない」

そんなグチをよく聞くが、まずは、**あなたがやっていることは周囲に伝わっているだろうか。**「縁の下の力持ち」に徹するのもいいが、自己主張をすべきところはしっかり主張しておかないと、評価されずに終わってしまう。

評価されないとダメなのか？という話もあるだろうが、誉められてイヤな気分になる人はいないだろう。正当な評価を得ることで、次の原動力になる。どれだけ実力があっても「1年坊主は玉拾いをしておけ」なんて扱いだとモチベーションが上がらないのと同じことだ。

出る杭は打たれるというが、**出過ぎた杭は打ちにくい。**

まずは、周囲に自分のことを大きくアピールしてみてはどうだろう。

25歳からのルール
28

給与が安いのは会社への貸し作り！

今、あなたは自分の毎月の報酬に満足しているだろうか？

もっと欲しい、まだまだ足りないと思っている人が多いのではないだろうか。

会社に勤めている人であれば、「自分は毎日こんなに頑張っているんだから、それなりの報酬が支払われてあたりまえ」という意識があるかもしれない。

また、毎月決まった日に給与が支払われて当然と思っている人もいるかもしれない。

僕も一《いち》サラリーマンをやっていたときはそうだった。どうすれば昇格・昇給できるかな、と試行錯誤、悩んだこともあった（しかし、経営者になってみるとわかる。従業員に給与を支払うという「あたりまえ」を継続することが、どれだけ難しいかということを）。

考えてみてほしい。

今の会社という組織にいなければ、あなたはどうなっているのか？

転職や独立で、今より高給を取れているというイメージが持てるだろうか？

イメージできる人は、**今の会社に対して「貸しを作っている」**と考えてはどうだろう。

貸しを作っていると考えれば、より堂々と働くことができるし、自信にもなる。

さらに貢献して元を取ってやる、という心構えで仕事をしていれば、必ず評価されるときが来るはずだ。

一方、転職すると今より給与が下がってしまうかも…と思った人は、**会社から借りている状態**ということになる。極端に言えば、いつリストラされても文句は言えない。


「そうは言っても自分なりに頑張っているんだけど……」

そうボヤいてしまった、あなたに質問。

自分自身の頑張りと、会社から見た頑張りにズレが生じていないか？

あなたの主観や思い込みによる評価と、会社や上司の評価ポイントは全く別モノだ。

まず、会社は何を求めているのか？　上司や先輩はあなたの何を評価してくれているのか？　客観的に見て自分はどうなのか？

改めてそう見直すことが、正当な評価を得るための一歩となる。

25歳からのルール 29

自分に与えるべき「成長痛」！

今から、2つの質問をするので、紙とペンを用意してほしい。

質問1：今の仕事において、楽しいこと、おもしろいこと、やりがいは何だろうか？　何個でもいいから、箇条書きにしてみよう。

質問2：今の仕事において、楽しくないこと、おもしろくないこと、不満は何だろうか？　何個でもいいから、箇条書きにしてみよう。

人間はプラス面よりマイナス面にフォーカスしてしまう傾向があるといわれる。

どちらかといえば、楽しくないことや不満についてはたくさん出たのではないだろうか。

僕も20代前半、ちょうど転職をする際に自分の棚卸しの意味を込めて書き出してみたが、自分に対しての不満が、あまりにも多かった。

これらを改善しなくては、このままだとヤバイ。そんな心境になった。

また、改めてあなたが洗い出した、楽しくないことや不満を見てほしい。自分に対する不満が多いだろうか？　それとも他者に対する不満が多いだろうか？

「他者に対する不満が多い」と答えた人は、いま一度、振り返ってみてほしい。

他責にすることは簡単だ。

もちろん環境面や会社の制度上、どうしようもない悩みもあるかもしれない。ただ、責任を他者に転嫁していては何も前進しないし、待っていては何も変わらない。思考がストップした状態だ。

だから、辛いとは思うけれど、**一度、自分のせいにしてみてほしい**。

あなたがやらなければ、結局何も変わらない。そして不満や悩みは一生払拭できない。

いきなり100歩先の話をやるのではなく、1歩先の話だ。力まず、できることから着実にやればいい。そうすると、「どうせ無理」という諦めモードな自分は、あなたの中からいなくなるはずだ。

「どうせ無理」なことは1つもない。

他人との勝負ではない、**自分との勝負には痛みを伴うもの**だ。それを成長痛、必要条件だと解釈することで、なりたい自分に会える可能性は広がるはずだ。

25歳からのルール
30

興味のないことにこそ、興味を持つ！

僕は20代前半の頃、通信・ＩＴの業界にいたため、ひたすら、その業界に関わる新しい知識をインプットすることに必死だった。今でこそ商品化されたり、新聞記事にも出てくるような、ナンバーポータビリティ、ＩＰｖ6、高速無線通信といった用語や仕組みの勉強をしていた。

しかし、社内の顧客データベースを統合するプロジェクトの中で、パートナー企業の方々とお話していると、まったくわからない用語が多数出てきた。

というのも、プロジェクトに関わっていたエンジニア陣が金融系に強い方々で、以前関わった金融プロジェクトの話が度々出てきたため、僕はチンプンカンプンだったのだ。

専門性の高い仕事は、その筋の専門家に任せればいいともいうが、なんせ、僕も会社を代表してそのプロジェクトに関係していたため、知ったかぶりをしたところで、何の得にもならない。せめて最低限の知識だけでも把握しようと躍起だった。しかし今になって、金融系の企業の研修などを担当する際に、この辺の知識が生きてきたことに気付いた。

この経験があってからは、**自分が専門としている分野や興味のある分野以外にこそ、新たな価値創造のチャンスがある**と実感している。

ＩＴ業界ならＩＴ業界に専門知識があって、「当然」。そこに、金融や不動産の知識があれば、**プラスアルファの仕事ができる**はずだ。キャリア形成においては、強みを伸ばすことは必須だが、**周囲との差別化を図る**ことも求められる。

では最初は全く興味のないことに対して、興味を持つにはどうすればいいだろう。

たとえば大手の書店にふらっと入り、いつも立ち寄るコーナーではなく、**全く別のコーナーの本に触れてみる**ことだ。僕の場合もプロジェクトマネジメントや自己啓発書といったカテゴリーに行ってしまうところを、あえて建築や医療、グルメ、なんてコーナーに行くことで、ふと気に留まる書籍が出てくる。これがきっかけなのだ。

興味のない分野の中でも、目に留まる何かがある、というのは、十分興味を持つきっかけになり得る。

意図的に、日常と関係のない環境に身を置いてみると、新たな発見があるものだ。

25歳からのルール

31

学生視点のプライドは捨てる！

入社して間もなく、厳しい仕事を課せられて、今にも逃げ出したくなったこと。やりたくない仕事を無理矢理、押し付けられて、もがき苦しんだこと。できると思って軽く見ていたら、意外と難しくて、先輩の力を借りずにはクリアできなかったこと。

25歳を過ぎたあなたなら、1つや2つの経験はあるだろう。

いくら学生時代にたくさんのアルバイトを経験していても、留学経験があって語学が堪能でも、学生団体やサークルの幹部をしていても、**社会に入れば、必ずと言っていいほど、「自負」や「プライド」という名の鼻はへし折られるものだ。**

僕も20代前半で、ある商品企画の資料を作って、役員からの承認を得る仕事を任されたとき、「こんなものは3日あればできる」と浅い読みをしていたら、資料作成の手直しや上司への事前説明などがてんこ盛り。結果として、１週間以上かかってしまい、上司から大目玉をくらった覚えがある。

この手のエピソードはたくさんあればあるほど、会社が求めている人材像と自分が思い描いている理想像のギャップが必ず見えてくる。

このギャップを埋められないから辛くて辞めるとか、会社の風土が自分に合わないから辞めるという人がたくさんいるが、**ギャップに悩むのならば、最初からギャップを生じさせないようにすることが重要**なのだ。

そうすると、まず、会社があなたに何を求めているのかを明確に把握することが大切ではないだろうか。

経済産業省では、社会人基礎力といって、社会で求められるスキルを提唱している。自分の思い込みで動くのではなく、このような軸を参考にするといい。

変なプライドを持って何かに固執するのではなく、周囲の目に映っている自分を考えるべきなんだ。

余計なプライドは捨ててしまったほうが、より自分を俯瞰して見られるはずだ。

第４章

同期と差が付く
仕事のルール

25歳からのルール
32

仕事とは、とことん付き合う！

僕の学生時代からの親友に、川東という1つ年上の男がいる。

彼とは高校時代のアルバイト先で知り合ったのだが、話してもいないのに初対面の印象は、お互い悪かった。僕は、彼の周りに対するエラそうな態度に驚き、彼は彼で、なんだか優等生っぽい僕に対する印象は冷たいものだったようだ。

本来であれば、接点を持つことを拒否したり、避けるわけだが、アルバイトのシフト上、彼とどうしても一緒に仕事に入らないといけない場面が出てくる。そうなると、おのずとコミュニケーションを取らざるを得ない。

そんな中、いろいろと話していると、「そんなに悪いヤツでもないなぁ」とか、逆に「良いところもあるんじゃないか？」といった新たな気付きが生まれてきた。

そんなことを繰り返すうちに、彼とは毎日のように時間を共にする親友になっていた。

これは、仕事でも同じことが言えるのではないだろうか。

というのも、最初は上司に無理強いされ、イヤイヤ始めた仕事に対しては、放置して逃げ出したくもなるだろうが、**その仕事に向き合い、時間をかけて取り組んでいくと、何かしら新しい発見があったりする。**

何かに気付き、学びにするということは、どんな仕事でも、それなりに付き合ってみないとわからないものだ。

やらされ感だけが先行して、「結局何も得るものはない」と最初から決め付けてしまっている人は、ひょっとすると、その**仕事との付き合いの時間が不十分なのかもしれない。**

どうせやるなら、やらされ感でいっぱいより、自主的な姿勢で取り組んだほうが、楽しんで仕事ができるものだ。ゴールに向けて走るなら、泣きながら歯を食いしばって走るより、途中の風景や沿道の応援を受けながら楽しんで完走したい。

また、逃げ出したり回避することは簡単だが、**逃げる前に、自分なりのルールを決めてみよう。**今週と来週は頑張ってみよう、とか、あと2時間は集中して取り組もう、とか。期間の設定をすることで、その期間また、新たな挑戦をすることができる。

25歳からのルール

33

目的意識を常に持つ！

仕事をこなす上で、大切なのに見失いがちなのが、目的だ。

何のためにやっているのかがわからないと、無駄な仕事が増えてしまう一方だ。

日々、あなたは予定に追われているだろう。

社内会議やクライアントとのアポイント、資料の作成など上司からの指示による仕事。

ここで、1つ1つの予定や作業に対して、**何のためにそれをしているのか？**と目的を考えてみてほしいのだ。

たとえば会議について、「来週発売される新商品の企画のため」とか、「毎週の営業進捗の確認のため」と目的や開催の意図があなたの中ではっきりしていればいいが、「上司に言われて仕方なく出席した」とか「出席したけど、結局自分は関係がなく、無駄な時間を過ごすだけだった」という会議があるようなら、仕事の進め方の見直しをする必要がある。

そもそも、「目的」とは何だろうか。

よく「目標」と混同して使っている人がいるが、これらを一緒くたにするのはあまりにも乱暴だ。

目的とは、字の如く、弓矢が刺さる「的《まと》」、**最終到達点**のことだ。それに対し最終到達地点にたどり着くまでのプロセスの中で、**通るチェックポイント、標《しるべ》を目標という**。バスや電車であれば、目的地に向かうための途中の停留所が道標となって、存在する。

目的と目標を混同しているのは、たとえば「会議で議論を進めるために資料を作り始めたはずが、資料作りが目的になってしまい、結局、時間をかけて作った資料が、配布されるのみで一瞬で役目を果たして終了」というケース。

このような場合は、最初から資料を作る意義・目的を考えていれば、無駄な時間を過ごすことは回避できたはずだ。

上司から指示されたからと言って、ハイハイと目的を考えることもなく、安請け負いをしてしまっていては、無駄な仕事を減らすことはできない。

どのような仕事においても、必ず目的や意図が存在する。

まず何かを始める前に「何のために？」と一呼吸おいて考えてみてほしい。

25歳からのルール

34

引き出しを100個用意する！

数々のCMや広告を手がけてきた、あるコピーライターの方の話を紹介しよう。

僕は実際にお会いするまでは、その人は天才肌な、ひらめきの人であって、商品の広告を作る際には、アイデアがパッとひらめいて、そのアイデアを具体的な広告へと展開されていくものだと、勝手な想像をしていた。

しかし、お会いしてお話を伺うと、実に泥臭い努力の結果、1つの作品ができあがっていることがわかってきた。その商品が誕生した時代背景や海外の類似商品のリサーチから、商品の開発をした担当者へのヒアリングなど、まずは現場へ出向いて、生の意見や雰囲気を感じることが大切だとその人は言う。実に**現場主義**な人だったのだ。

また、事前にそれらの「材料」を揃えるだけでも大変なのに、そこから、100個以上のキャッチコピーのアイデアを出していくそうだ。その人いわく、「とにかく数です。数がない中で、ズバリこれだ！　と自信を持って選択することはできないですよね。数を出した中で、ようやく消去法なんです。」

確かに、数があれば、どことなく安心感はあるものだ。選択肢が1つだけだと、本当にこれで大丈夫か？と不安になる。よって、まずはアイデアを出すところまでは必死で努力を積み重ねるのだ。**これだけやったのだから、これ以上のものはないです**、と。

また数があれば、お互い違う価値観を持った人同士で議論し合うのには役に立つ。

たとえば、

「私はこの提案がお客様にフィットすると思います」

「別の視点では、こんなアイデアもあるんじゃないでしょうか。」

「では、こことここをうまくジョイントした案にまとめましょう。」

というように、相互の合意形成が図りやすい。

仕事においては、まず、**どのようなアプローチの仕方が考えられるかを徹底的に洗い出し、考える**ことだ。自分の頭で選択肢を広げない限り、上司の指示に従うだけの、つまらないビジネスしかできなくなってしまう。

まずは自分のアタマでさまざまなアプローチを考えてみよう。

25歳からのルール
35

5日かかることを1日でやってみる!

「吉山さん、お客様です。」

20代前半の当時、アシスタント女性からの伝言に僕は耳を疑った。

今日は来客予定なんかないのにな……。

「ところで誰ですか?」

「A社の＊＊社長です。」

その瞬間、自分が完全に予定を忘れていたことに気付いた。

A社と共同で進めていたプロジェクトの最終提案を僕がまとめる予定だったのだが、まだ時間があると思って、先送りにしていたのだ。そろそろ大詰めということもあり、先方はその提案を心待ちにしていたため、回答を用意していない僕は、完全に慌てふためいた。

しかし、このように**あってはならぬ状況下にこそ、大きなヒントが隠れている**といえる。

なぜならば、時間に余裕のある中で出てくるアイデアより、背水の陣、すなわち、限りのある条件下ほど、火事場のバカ力という言葉の通り、人間は必死になるものだ。

夏休みの宿題を思い浮かべて欲しい。

7月中旬に休みに入り、海水浴だ、夏祭りだ、家族旅行だ、と言っているうちに、あれよあれよとお盆が過ぎ、薄れ行く夏の思い出を無理矢理思い出しながら、半月分の絵日記を書いたり、半ベソかきながら図画工作を家族にお願いした覚えはないだろうか?

時間にしろ、資源にしろ、人間はあればあるだけ使ってしまうものなのだ。

ここで大切なのは、**時間をかけたからといって良い結果が生まれるわけではない**ということ。

余裕を持って5日間かかると見積もっていた仕事も、結果、4日目にならないと着手しないのであれば、要は1日でやり切れることなのだ。であれば、**最初から1日でやるように自分を追い込んでみる**ことも大切だ。追い込まれた状況下においては、必ず工夫をせざるを得ない。

このことに気付き、行動するには、早ければ早いほうがいい。20代のうちに、自分の仕事の効率化を工夫し、要領を掴んでおくことが、この先20年、30年の基盤作りになる。

25歳からのルール

36

もし、自分だったら？を考える！

僕が初めて、新規の商品開発プロジェクトを担当したときのことだ。20代前半の僕は初めてのことばかりで、どのように進めていいのか試行錯誤していたこともあり、上司に「どうすればいいでしょう？」とお伺いを立てることが多かった。

自分なりにこうしたほうがいいと思っていながらも、それを押し殺して、上司の方向性に従うのがいいと考えていたからだ。

しかしある日、上司から「**一体オマエはどう思うんだ!? **オマエを信じて任しているのに、**オレの御用聞きじゃ意味がない！**」と怒鳴られた。

それがきっかけで、もっと我を出してもいいんだ、と気付かされた。もっと自分の考えやアイデアを反映させたプロジェクトにしないといけない。

そもそも、言われたことをこなすためにやっているわけではないし、自分の意見を通すためにどうすればいいのかを考えるほうが１００倍楽しい仕事になる、と。

それ以来、「僕は」「私が思うには」といった言葉を話の冒頭に付け、上司への相談の際にも、自分の意見をふんだんに盛り込むように努力した。

だけど、ここで難しかったのは、**自分の意見をどのような場面でも持つ**ということだ。

自分の意見を持つためには当事者意識が必要になる。

そこから訓練したのは、周りの状況を自分に投影することだ。

たとえば、クレームを受けて困っている同期がいた場合、「自分ならこう対処するな」と重ね合わせてみたり、他人のプレゼンテーションを見て、「自分なら、このように話を展開するな」というように、あらゆる状況を見て、自分なら、とイメージを繰り返すのだ。

当事者意識や主体性がなく、指示を受けて、その通りにやる仕事は、ハートが欠けた、無機質な作業になってしまう。

機械やロボットがやる作業ではなく、人間がやる仕事である限り、ハートのある仕事を志すべきではないだろうか。

25歳からのルール
37

これからの得意分野を1つ作る！

「あなたの誰にも負けないことは何ですか？」

こんな質問をされた際に、あなたなら何と答えるだろう？

そもそも、答えはあるだろうか？

25歳、過去に就職活動を経験した人であれば、自己PRや自分の長所について考えたこともあろうかと思う。

僕も同じように、就活時代、自己分析をした。そのとき感じたことは、音楽活動をやってきたり、ベンチャーに関わっていたり、と客観的に把握はできたが、あくまでも、自分がやってきた「事実」でしかなく、誰にも負けないか？と問うと、疑問が残っていた。

そこで、通信業界に身をおいていたときに徹底したのは、**通信業界全般の知識を社内で一番深めること**だった。

競合他社の携帯電話のプランの詳細や、認可された新たな通信規格、通信機器の新商品など、とにかく多数の情報収集をした。そうするうちに、「吉山を呼べば、何かしら新たな商品知識や情報が得られる」と、新規商品企画や戦略会議などに声をかけてもらえるようになったり、各種事業者との事業戦略を立てる際にも声がかかるようになった。

30歳を目前にした今は、どうだろう。

僕は日本で最も「ダンドリ」に関する本を書き、おそらく日本で一番ダンドリに関する講演や研修をしている人間になった。そして、それをもとに独立し、強みを活かした唯一無二の自分の仕事になった。その道のプロ、と紹介されることがあたりまえになった。

スポーツや音楽の世界で評価を得て、一番を取ることはなかなか難しいものだが、ビジネスの世界では案外簡単に一番が取れるものだ。それは、「社内で一番」とか、「部署で一番」とか、「同期の中で一番」というレベルでも十分通用するから。

どんな中でも、一番の強みだ、得意分野だ、といえるものを1つ作っておけば、それが何よりの自信になる。もちろん、今なくてもこれから作るという意気込みが肝心だ。

まず、自分の強みに気付くことが、より大きな仕事を自分の手に引き寄せるための大きな原動力になるのだ。

25歳からのルール

38

前後3カ月を意識する！

僕がヒマがあればやっていることの1つとして、**手帳を開いて眺める**という習慣がある。電車や飛行機での移動中や、ちょっとした待ち時間や1人でお茶をしているときなど、5分もあれば、手帳を開く。

そして、直近である今日明日のスケジュールを見ることは当然なのだが、ここでのポイントは**前後3カ月間のスケジュールを行ったり来たり**で確認することだ。

あなたはどんな手帳を使っているだろうか。

僕の手帳は見開きで1週間分のスケジュールが確認でき、1日は30分刻みで記入できるものだ。そして、日々の会議や講演といった予定だけではなく、資料作成やデータ入力といった1人で終わらせることのできる仕事の予定も記入するようにしている。

そうすると、前後3カ月のスケジュールを見据えて、「先月提出した資料をもとに来月のこのあたりで再度会議を実施しよう」とか、「今日やった商談のフォローアップとして、来週と再来週にアポイントをとっておこう」というような**スケジュールの先読み**ができるようになる。

僕も最初は、今日やるべき業務に没頭しており、まったく先を読んで仕事をすることができなかった。

しかし、まず前後1週間のスケジュールを見直すことを始めてから、作業モレやスケジュールの遅延が軽減されるようになった。その後、1カ月、2カ月、3カ月と先読みと後読みする期間を延ばしていった結果、非常に仕事の見通しが立てやすくなった。

1つの仕事が終わったら、必ず後続作業が発生するものだ。

たとえば会議をやったら、そこで決まった内容をもとにアクションが実行され、その結果どうなったのか、という検証は必須だろう。

過去にやった仕事を後読みすることで、作業モレややり残しに気付くものだ。

やった気になっていて、成果が上がっていないときほど、**前後を見返して、再度自分自身の仕事を振り返ってみてはどうだろうか。**やりっぱなし仕事がなくなること請け合いだ。

25歳からのルール
39

いい加減ではなく「良い加減」な仕事を！

「どんな仕事であっても、完璧にしなきゃ気がすまない！」

こんな高い心構えで毎日を過ごしている人もいるかもしれない。

僕も以前はそうだった。

いや、とにかく1つひとつの仕事に対して、「余計な力が入ってしまっていた」と言ったほうが正しいかもしれない。どの仕事も自分の中で完璧にしなきゃいけないものだ、と決め付けていた。資料作成ひとつでも、自分で完璧にしようと思って、ずっと抱え込んでいることが多かった。

その思い込みが「りきみ」となっていたのだろう。

自分の中のパーフェクトは他人の中では不完全なのだと気付いた瞬間、力がふっと抜け、力加減を図るようになった。

というのも、自分の中で完璧だと思って上司に提出した資料も、上司の目線からすると、まだ手直しが多数必要で、修正の指摘を受けることが大半だったからだ。

要は、独りよがりな仕事になってしまっていたのだ。

それからというもの、その仕事が2割、3割完成してきた時点で、一度周囲に相談してみたり、ある程度自分の中での見込みがたった時点で、一度提出し、そのフィードバックをもとに8割、9割と完成形に少しずつ近づけていくことを覚えた。

一業入魂！と仕事に対して気合を入れて、真剣に取り組むことは非常に大切なことだが、全ての仕事に全力投球していては、やはりバテてしまうものだ。ピッチャーも1つの試合の中で緩急をつけたピッチングをするように、ちょうど「良い加減」で力の調節が必要なのだ。

目の前の仕事に猛進する前に、一度自分を、第三者の目線で見てみよう。必ず余計な力が入っていたり、本来はやらなくていいものまでやってしまっていることに気付くはずだ。

ペース配分でき、バランスよく仕事がこなせる30代になるためにも、ちょうど「良い加減」を発見することがポイントなのだ。

25歳からのルール

40

「行動」レベルを意識する！

仕事を細分化すると、1つ1つの「作業」や、1人1人の「行動」が積みあがって構築されているものだと気付く。

「会議の開催」を例にとっても、アジェンダの明確化、会議室の予約、資料の作成、参加者の日程調整、議事録作成など、多数の「**作業**」がある。その「作業」を成し遂げるためには、個々人の「**行動**」が存在する。

たとえば、参加者の日程調整と一口に言っても、どのように「行動」すれば日程調整ができるのか、を考える必要がある。会議の参加予定者全員に「都合の良い日を御返信ください」と書いたメールを一斉送信して調整する人もいるだろうし、忙しい課長のスケジュールを優先するため、まず課長に「いつなら御都合がよろしいですか？」とお伺いを立てることから始める人もいるだろう。

このような行動レベルを１つ１つ分析していくと、なぜうまくいったのか？とか、なぜうまくいかなかったのか？という成功要因や失敗要因が見えてくる。

あなたは、上司や顧客など、周囲の指示のまま、何も考えずに仕事に取り掛かっていることはないだろうか。

言われるがままにやるのはラクだが、いつまでも**仕事の本質に触れることはできない**。だから**行動レベル**を意識してほしい。

僕も営業をしていたとき、最初は「納品後のお客様へのお礼」という仕事を、単純に「お礼の電話をする作業」としてしか考えていなかった。でも数々のトップセールスを記録していたベテランの先輩は、まず、お礼の手紙を季節の便箋で送付し、届いた頃を見計らって電話し、納品後の商品の様子を聞いたり、送付した手紙についても電話の中で触れることで、より円滑なコミュニケーションにつなげていた。

仕事の深さを知るきっかけになったと同時に、そのレベルまで意識することで結果が出るものなんだ、と痛感させられた瞬間だった。

１つの仕事を進める際には、**「How？（どのようにやるか？）」と何度も何度も自問自答することで、具体的な「行動」レベルにまで落とし込み、実行に移す**ことが肝要だ。

25歳からのルール

41

いったん立ち止まってみる！

「猪突猛進」という言葉を辞書で引くと「周囲の状況を考えずに、1つのことに向かって猛烈な勢いで突き進むこと」と出てくる。

20代前半、よくも悪くも、僕は猪突猛進していた。

仕事は早いに越したことはないと思い、とにかく周りを巻き込み、猛スピードで進めることに集中していた。「急がば回れ」という文字が僕の辞書にはなかった。まずは行動に移したほうが早いに決まっている。ただ、そんな思いだけで突っ走っていたのだ。

しかし、振り返ってみると、じっくり事前準備をしていれば早かったのに、ということや、2度3度同じ作業を繰り返したりしているケースが少なくなかった。

そんなあるとき、とにかく複数のプロジェクトに関わって、頭の中がパニック状態になったことがあった。いつもなら「気合でどうにか」というところ、この日は違った。

深呼吸して客観的に自分の仕事を棚卸しして整理してみようと、試みたのだ。

きっかけとなったのが、『ＰＭＢＯＫ（Project Management Body Of Knowledge）ガイド』というバイブルとの出会いだ。これはプロジェクトマネジメントの概念をまとめたグローバルスタンダードで、プロジェクトの効率的な進め方や計画立案の方法などが記載されている分厚い書籍だ。

ここに出てくる概念をもとに、実際取り組んでいたプロジェクトのスケジュールをまとめてみると、全体像が把握できただけではなく、クライアントや社内の関係者との連携がうまく図れるようになった。結果、今まで起こっていた出戻りや認識のズレが生じることが軽減された。

現在は特に限られた人員で多数の仕事を進めなくてはいけない時代になっている。よって、みなさんの中にも、毎日がパニック状態という人もいると思う。

ここで大切なのは、**パニック状態だからこそ一度、歩を止める**ことだ。

忙しいからこそ、一度ストップし、自分を客観的に見つめ直すことで、頭の中が整理できたり、問題が把握できたり、最終的にはスムーズに事が運ぶはずだ。

25歳からのルール
42

仕事は現場が全て！

入社して半年、3年、5年など、ある一定期間を経てからのフォローアップのための研修にお伺いすることがよくある。

毎年、受講者のみなさんから、ボヤきのように聞こえてくるのが、こんなことだ。

「先日、上司に顧客データの整理をしろ、と言われてやったんですが、果たして意味があるんでしょうか？」

「僕が毎日やっているのは、他部署からの問い合わせ対応で、こんなことをやるために会社に入ったわけではありません。」

上司の指示を受けて、現場レベルの仕事に忙殺されてしまっていると、これでいいのか？と疑問に思うこともあるのかもしれない。僕も企業勤めをしていたときは同じだった。なぜ僕がこんな単純作業をやらないといけないのか、と思ったことは何度もある。

だけど、**現場を知っているからこそ、この先、自分が上に立ったときにも、その苦労が理解できるもの。**

25歳を超えた僕たちは、そろそろ目先のことだけではなく、**先を考えて、なぜ今この業務を自分が担っているのか?を考えておきたい。**

現場主義の上司と現場を把握していないが口だけ挟んでくる上司。それらの差は歴然だ。今後いずれはあなたのことを慕う後輩や部下が現れるかもしれない。そんなときに、現場での苦労話ができたり、当時の自分に重ね合わせて、指導に当たることだってできるのは、貴重なことだ。

会社や組織の方針などもあるが、結局何かが変わるのは現場だ。1人1人で見ると、ほんのわずかな作業かもしれないが、それらが積もって会社という大きな活動に通じている。

あなたのやっていることを虫の目で捉えるのではなく、**鳥の目で空高くから全体像を見て位置づけを考えてみると、もっと自分の存在意義や存在価値を見出すことができる**はずだ。

ほんの小さな仕事でも、あなたの血となり肉となる。

それが将来のあなたの存在意義・存在価値をさらに大きくする。

25歳からのルール

43

人に仕事を教えてみる！

25歳。まずは1人称で仕事ができるようになろうと必死な人もいれば、早くも複数の部下を抱えて、組織のことを考えている人もいるかもしれない。

仕事を1人前にこなしていくというのは、どういうことだろうか。

僕は学生時代からほぼ毎日、社会人との接点があって、名刺交換やメールの書き方などはマナー講座を受けたわけではないが、それなりに「できている」気になっていた。

しかし、あるとき、当時大学3年生だった後輩から、「今後社会に出るにあたり、メールの書き方やビジネスの世界における対人コミュニケーションについて、教えてほしい」という相談があった際に、**自分は全くわかっていない**ことに、ふと気付かされた。

その後輩は、それまでの学生生活の中では、コンビニでのアルバイト経験しかなく、メールの書き方や顧客訪問した際のルールについては全く無知だった。よって、イチから手取り足取り教える必要があった。

人に「教える」ということは、自分の理解が曖昧だったりすると、**逆に自分が教えられることのほうが多い**ことに気付く。

自分ができているつもりでも、他者に教えるに当たっては、その人の理解・習熟度やバックボーンに目線を合わせてあげないと、全くかみ合わない。

あなたも1人前に仕事をこなそうと思うのであれば、まず自分が今、取り組んでいる仕事のことを人に教えてみてほしい。

同じ職場の同僚や後輩でもいいし、家族に話したっていい。

家族に自分の仕事の話をするのは意外と難しい。僕の場合も「コンサルティング」や「企業研修」といっても、どんな仕事をしているのか、最初はなかなか母親や祖母は理解に苦しんでいた（ように思う）。が、説明するうちに、噛み砕くことを覚え、「僕の仕事って簡単に言えば、企業のお医者さんのような存在なんだ」と説明するようになった。

自分の仕事を誰かに説明したり、教えることができないのは、**自分の中での理解不足を示している**と思っていい。

本質を知るために、誰かにじっくりと仕事のことを話してみてほしい。

25歳からのルール

44

成功につながる失敗をする！

「失敗」という言葉を聞くと、どうしてもネガティブな印象を描いてしまうが、失敗には2つあるのではないだろうか。

それは、成功につながる失敗と、失敗につながる失敗だ。

失敗は成功の母といわれるが、それは、あくまで、ポジティブに取り組んだ結果の話。

最初からできっこないと思って自信なさげに取り組んだところで、失敗するのは見えているのだ。

提案営業のため、複数のコンペに取り組んでいたときのエピソードである。

事前のリサーチや根回しなども入念に行って、「ここまでやれば、失敗しても悔いナシ！」という状態でプレゼンテーションすると、うまくいくことのほうが多かったが、やはり、何度かはNGをくらうことがあった。

しかしながら、事前にやるべきことは全てやっていると自負していたため、ＮＧをくらっても、さらに次に向けた改善点がないか？と何度も検討したり、もう一度提案資料やアプローチの仕方についての振り返りを行うなど、次のチャンスに目線を合わせて、ポジティブな思考をすることができていた。

一方で、今回は時間もあまりとれず、担当者とのコミュニケーションもイマイチ、という中でプレゼンテーションしても、結果は散々だった。自分の中でも、やっぱりこの程度ではＯＫはもらえないだろうな……と、あきらめの姿勢があるならば、それはプレゼンのどこかにも必ず出ているものだ。

失敗することは怖い。

でも、カッコ悪いことではないし、今後の成功のヒントがたくさん隠れている。

若い僕たちだからこそ、堂々と失敗することだってできる。だからこそどうせ失敗するなら、思い切って失敗したほうが爽快だし、次につながる。

次につながる失敗になりました！と堂々と言えるようになるためにも、**後悔をしないような準備だけは、日頃からやっておこう。**

25歳からのルール

45

勝利の法則をつくる!

僕は仕事柄、今でこそ、毎日のように人前で話をすることに慣れたが、はじめから緊張することなく、スムーズに話ができていたわけではない。

20代前半の頃、ある会議で社内プレゼンテーションをすることになったときのこと。その会議には、直属の上司の部長以外にも、複数の事業部長クラスが出席しており、その他関係者も含めると総勢30名ほどの会議となった。初めて任された大きな企画で、僕の意気込みを買って、上司が発言の機会を提供してくれたのだ。

部内の小規模な会議では発言することにも慣れていた僕も、そのような大勢の会議での発言は初めてで、始まる前からソワソワしていた。

会議が始まった。議事に沿ってどんどん進行していくが、自分の番が来るまでの議題に関する内容は、ほとんど覚えていないくらい落ち着きがなかったように思う。

そこで自分の番が来た。

全くもって、何をしゃべったか覚えていないが、とにかく内容の整理されていない、支離滅裂な報告で終わった。言うまでもなく上司のフォローが入り、その場は事なきを得た。

今、振り返ると、全く事前準備も不十分だったように思う。話の順序や構成、想定される質問は何か、プレゼンテーションの出だしは何から話しだすのか、というようなダンドリもできていなかった。

この失敗をもとに、自分なりに工夫をしてみたが、まずはプレゼンテーションの際、**挨拶をすることを決まりごとにした。**

大きな声で「お疲れ様です。」とか「みなさんこんにちは。」と相手に向けて発声することで、円滑なスタートが切れるようになった。そして、「今回は大きく2つのことについてお話しします。」と、まず発表の全体像を紹介するようにした。聴く側が話の概要をイメージしやすくなるし、自分の中でも、話の構成や順序を作る際の手助けになった。

このように、**「これさえやっていれば、成功する」といった、法則やルールを持っていることは、大きな自信につながるものだ。**

25歳からのルール
46

情報は「循環」させる！

テレビ、新聞、ラジオ、雑誌、インターネット、街頭広告などなど、僕たちの身の周りには情報があふれている。膨大な量の情報から取捨選択をし、何気ない毎日の中でも相当な情報を入手しているはずだ。

人間が食物を摂取することで、消費したエネルギーを補ったり、体内に栄養を循環させるのと同じように、**情報も摂取したら循環させなくてはならない。**

たとえば僕の場合、新聞や書籍・文献からの情報を「摂取」したら、自分の言葉や解釈に「変換」し、講演や研修の中で「放出」している。このような循環こそが価値を生んでいくのではないだろうか。

というのも、人によって、足りない栄養素が異なるように、**情報もそれぞれ適した場所に分配されることで、有効活用できることが多い**からだ。

僕も20代前半の頃は、クライアントや競合他社の情報を得た際に、自分だけの知識やノウハウにしようと抱えてしまっていたことがあった。しかしそれを上司に報告したり、別部署と共有することで、より有効な手立てを打つことができた。

循環が少しでも起こると、連鎖反応で次の循環へとつながっていく。報連相や連絡網もそのような仕組みのもとで行われているはずだ。

また最近、僕も習慣づけているのは、**ブログの中での情報循環**だ。

友人の会社で新しいサービスを始めた、とか、知人が書籍を出すことになった、という情報を「摂取」したら、即座にブログの中で自分の言葉に「変換」し、記事として「放出」している。この循環を習慣化することで、自分のブログが読者の方々の情報摂取源になり、彼らがさらに語ることで、また循環のサイクルができる。

これらの循環を意識的に行うことで自然と身に付くのが、情報の取捨選択の仕方だ。「放出」し、その情報が他者の目に触れることで反応をうかがえる。周囲の反応によって自分なりにうまく循環させることができているのかを検証することがポイントになる。

まずは、**情報を得たら、自分なりに「変換」し、「放出」させ、循環を起こしてみる**ことをオススメしたい。

第５章

スムーズにいく
上司と部下の接し方

25歳からのルール

47

上司と感情も共有する！

まず質問！

日々、上司とあなたとの間で、情報共有はしっかり行われているだろうか？

あなたの会社でも、日報や定例会議で現在の仕事の進捗を確認されたり、案件の整理をする機会もあるだろう。また作成した企画書・提案書ファイルなどの共有やメールで上司に報連相したりと、日々、上司との間で多数の情報を行きかわせていることだろう。

したがって、「比較的、情報共有はできている」と思う人も多いのではないだろうか。

ではここで、もう1つ質問。

上司と共に抱き合って喜びを分かち合えているか？

上司と共にぐちゃぐちゃに泣けるか？

上司と共に真剣に怒りをぶつけ合えるか？

上司と共に腹を抱えて笑えるか？

どうだろうか？　残念ながら、４つともできる、という人はなかなかいない。

情報の共有には会社の仕組みが存在するが、**感情を共有するのは、仕組みではなかなか補えきれない部分も多い。**

夏の高校野球を思い出してほしい。監督も選手も全員で抱き合って喜ぶし、全員が声出して涙をポロポロ流して悔しさを表現する。

本来、人間が共に何かに取り組んでいるときには、**感情という「熱」が生じる**ものだ。しかし、自分さえよければいいとか、メールで伝えておけばいいと思っていると、無機質なコミュニケーションになる。

僕も一時期、マネジメントする側として「熱」を忘れてしまっていたことがあった。日々の目標達成だけに打ち込み、周りが見えなくなっていたのだ。しかし、本来の仕事の目的を考えていくと、「熱」がないとクリアできないことも多い。そう気付いてからは、**まずお互いの顔を見て、感情を共有することをメンバー全員で意識する**ようになった。

上司から歩み寄ってくれることが理想だが、不器用な上司も多い。もしあなたが気付いたなら、**自分から感情を共有できるよう、歩み寄る**ことにチャレンジしてみてほしい。

25歳からのルール
48

自分で抱え込まない！

僕は学生時代からベンチャーに関わっていたこともあり、比較的早い時期から、後輩や部下に動いてもらって仕事をしていた。今やアルバイトや学生のインターンシップ、さらには契約社員など、非正規雇用が増えたから、みなさんの中にも20代前半で後輩や部下を持った経験のある人も少なくないと思う。

25歳という年齢は、今後管理する側に立つのか、そのまま管理されて過ごすのかが決まる分岐年齢といっても過言ではない。

後輩や部下を持つと、自分自身の仕事以外にも責任が発生する。

要するに、面倒を見ないといけないのだ。

あなたは、当然、後輩や部下よりも仕事については把握しているし、1つの仕事をやっても、要領よくスピーディにこなすことができるはずだ。

そんな中、陥ってしまいがちなのが、自分でやったほうが早いから、後輩や部下に任せようとしない「**抱え込みマネジメント**」だ。

僕も最初はなかなか部下に任せることができなかった。というのも、教える時間があるくらいなら、自分でサクサク進めたほうが早いと思っていたからだ。

しかしある日、ある調査報告書の締め切りが迫っていたときに、突如、プロジェクトの進捗会議に呼び出され、一方でクライアントからのクレーム対応を依頼されたことがあった。完全に首が回らない状況だ。

報告書の一部でも周囲に任せておけばよかった、とか、例のプロジェクト進捗の件、みんなで対応できるように共有しておくんだったな、と後悔することしかなかった。

「教えることに時間がかかる」と思っていたが、時間をかけて周囲の成長を促進したり、情報共有することで、結局自分がラクに仕事を進められるのだ。

今、多数の企業を見ていても、技術職や専門職で、このような抱え込みが多いように感じる。

仕事を一人で抱え込むことは、自身がいっぱいいっぱいになるだけではなく、周囲にも影響を与えることに気付くべきだ。

25歳からのルール
49

上司を1人の人間として見る！

僕の小学校や中学校のときの担任の先生のタイプは実にさまざまだった。

とにかく上から押さえつけるような圧迫系の先生、みんな仲良しで頑張ろうという協調系の先生、とにかく優しく接する過保護系の先生など、いろんなタイプの先生が存在した。

生徒は先生を選ぶことができないから、その環境で1年間過ごすほかない。最初はイヤだなぁと思っていても、そこは義務教育。逃げ出すこともできないため、それなりに先生のタイプに順応していったものだ。

職場においてはどうだろう。

上司のタイプは先生と同様にさまざまだ。しかし、ここはビジネスの世界。もっとシビアに突っ込んだことも指摘してくるだろうし、大声で怒鳴られることだってあるだろう。

それが毎日続くとなれば、逃げ出したくなることだってある。仕事を完遂させる義務はあれど、辞める／辞めないは個人の裁量に任されている。極端な話、逃げてしまってもいいのだ。

だけど、そんなときこそ、立ち止まって考えてみてほしい。

あなたにはあなたの言い分があるように、**上司にも言い分がある**はずだ。

あなたが上司を選ぶことができないと同時に、上司も部下を選ぶことはできない。とすると、相互に円滑に業務を進めるため、歩み寄る姿勢が必要になる。

遅かれ早かれ、あなたも先輩となり上司となる日が来るだろう。親になって初めて親のありがたみに気付くという話をよく聞くが、まさに同じことなのだ。上司には上司なりの苦労が必ずある。

ここで大切なのは**上司を上司としてではなく、１人の人間として見る**ことだ。

自分が今の上司の立場に立ったら、どうするだろうか。

仮に上司の態度や行動が変わらなかったとしても、反面教師となり、あなたがその立場に立つときに大きな収穫をしていることを忘れないでほしい。

短期的な視点で物事を捉え、拒否反応を示し逃避するのではなく、「この環境下で何か得られるか？」を考えることで、自分を高めることができるのではないだろうか。

25歳からのルール
50

上司は使う！

ある社員研修にお邪魔したときのこと。

上司に対する理想像や不満についてのディスカッションを実施していると、圧倒的に不満ばかりが噴出してきた。

まあ上司は職場においてある程度、嫌われ役を買って出ないといけない部分もあり、組織全員が上司に対する不満は全くない！という職場のほうがレアケースなのかもしれない。

だけど、上司には上司たる所以があるはずだ。

過去の功績が認められているとか、マネジメント能力を評価され、昇格している人も多いだろう。

なので、「あの上司はダメだ！」というレッテルを貼る前に、**「なぜ、この人が、今のポジションにいるのか？」**を確認してほしい。

年功序列で昇進し、全く働けないとか能力的に厳しい上司は、今後淘汰されていくことは必至だ。「40代半ばで課長から降格させるのは、その人の生活もあることだし、今のポストのままで継続して雇用してあげよう」というような仲良しこよしの生ぬるい考えの企業があったとすれば、その企業自体が淘汰されていくだろう。

さて、それでもあなたの上司は「できないヤツ」「ダメなヤツ」だとすれば、逆にあなたが大人になる番だ。

その上司をいかにうまく活用すれば、業務が円滑に進められるか？と、**コントロールされる側からコントロールする側に立ってみてはどうだろう。**

たとえば、意見のハッキリしない上司に対しては、あえて会議の場で発言の機会を設けたり、周囲を巻き込むことで意見を引き出すといったことができる。

人事や組織などハード面を変えて、上司を動かすことは困難だ。

でも、日々のコミュニケーションの取り方や仕事の進め方など、ソフト面であなた自身が主体性を持ち、柔軟に対応してあげることで、今までネックになっていた上司を動かすことができるものだ。

25歳からのルール
51

主語は常に「自分」!

経済産業省が集計したデータによれば、**企業がほしい人材に求められる能力とは「主体性」**である一方で、現在の若手に足りない能力もまた「主体性」だそうだ。

企業はほしがっているのに、若手にはそんな力がない……

このギャップを埋めることが僕らには求められている。

「指示待ち人間が多い」とは以前から言われているが、確かに、言われたことだけやっておこうという人は多い。与えられた仕事をただ単にこなすのみのアルバイトであれば、それでいいのかもしれないが、正社員として働いていく限りは、次にする仕事を自らの頭で考え、行動に移していく必要がある。

僕は仕事柄、多数の学生や新入社員にお会いするが、ここでも「横並び意識」を強く感じることがある。

たとえば、講演中の質疑応答。「質問ある人は挙手をお願いします！」と司会の方にふっていただいても、なかなか手が挙がらない。にも関わらず、１人が挙手しだすと、バラバラと後から手を挙げる人が出てくる。周りがどうこうではなく、自分に主体性を持って行動していれば、このようなことにはならないはずだ。

僕自身も多数の先輩経営者や先生方とご一緒する席では、「僕はこう考えていますが、先輩はどうお考えですか？」とか、「確かにそういう意見もありますが、私が考えるに……」というように、まずは**自分を主語にして発言していく**ことを意識するようにしている。

ここで大切なのは、**若輩者だからと遠慮しない**ことだ。

会社の中でも、上司や先輩の中には、若手の意見を欲していることも多いものだ。

会社においても、社会においても、これから責任ある立場になっていくであろう僕たちが「右向け右」でいいのだろうか。

ダイバーシティ（多様性）という言葉をよく見るようになった。

個人の価値観やライフスタイルがさまざまな形をとっていく世の中で、自分の意見をしっかり持っていることが、個人の存在意義や、なりたい自分へ近づくためのブレない軸を見出すきっかけになるはずだ。

25歳からのルール

52

上司に完璧を求めない！

あなたは上司に何を求めているのだろう？

上司に聞けば何かヒントが得られる、何かあっても上司がいるからどうにかなる、そんな甘えもあるのではないだろうか。

組織で仕事をしていく以上、責任の所在は明らかだ。たとえメンバーが失敗したとしても、その尻拭いは上司がするものとされている。よって、上司には精一杯甘えればいいと思う。

ただここで勘違いしてはならないのは、ただ単に甘えるということではなく、上司がいない、すなわち頼るものがいないという前提で、全力を尽くした結果、どうしても上司の手を借りなければならなかったかどうか、ということだ。

僕が会社勤めをしていた際、上司とクライアントへプレゼンにお邪魔する予定だったの

郵便はがき

恐れ入りますが
62円切手を
お貼り下さい

112-0005

東京都文京区水道2-11-5

明日香出版社 行
プレゼント係

感想を送って頂いた方10名様に
毎月抽選で図書カード（500円）をプレゼント！

ご注文はこちらへ

※別途手数料・送料がかかります。（下記参照）
※お支払いは〈代金引換〉です。（クロネコヤマト）

ご注文 合計金額（税込）	1500円以上　手数料230円
	1500円未満　手数料230円＋送料300円

ご注文書籍名	冊数

弊社ＷＥＢサイトからもご意見、
ご感想の書き込みが可能です！

明日香出版社HP http://www.asuka-g.co.jp

愛読者カード　弊社ＷＥＢサイトからもご意見、ご感想の書き込みが可能です！

この本のタイトル				月　日頃ご購入
お名前《ふりがな》	性別	男 女	年齢	歳
ご住所 郵便番号（　　　）電話（　　　） 都道府県				
メールアドレス				

商品を購入する前にどんなことで悩んでいましたか?

何がきっかけでこの商品を知りましたか?　① 店頭で　② WEBで　③ 広告で

商品を知ってすぐに購入しましたか?しなかったとしたらなぜですか?

何が決め手となってこの商品を購入しましたか?

実際に読んでみていかがでしたか?

ご意見、ご感想をアスカのホームページで公開してもよいですか?
① 名前を出してよい　② イニシャルならよい　③ 出さないでほしい

①と②を選択していただき誠に有難うございます。
ホームページに いいね！ と twitter があります。
ぜひポチッをお願い致します。

●その他ご意見・出版して欲しいテーマなど

●感想をお聞かせ下さい
① 価格（高い・安い・ちょうど良い）　③ レイアウト（見にくい・見やすい）
② 装丁（悪い・良い・普通）　④ 総評（悪い・良い・普通）

*ご記入いただいた個人情報は厳重に管理し、小社からのご案内や商品の発送以外の目的で使用することはありません。

だが、上司が急遽、別の出張が入り、同行できなくなってしまった。

頼りにしていた上司がいるので大丈夫と思い込んでいたため、事前準備も不十分で、代打を務めた僕は、散々な結果になったことは言うまでもない。

このとき、僕は完全に上司に甘え切っていた。自分で努力することもなく、金魚の糞のごとく同行していただけだ。これはどこかに、この上司は完璧、この人がいればどうにかなる、と過度の安心をしていた部分があったと気づいた。

どんな上司でも完璧な人はいない。完璧じゃないからこそ、あなたという部下が存在するのだから。要するに**上司の不完全な部分をあなたが補完する必要があるのだ。**

上司に求めることばかりではなく、逆に上司が求めているものは何か、補完できる部分はないかを考えてみよう。

本当は部下の意見も聞きたいのに、プライドが邪魔してしまっている上司は多い。

そんなときに部下の立場から、率先して意見を述べてみるとか、参考となる資料をメールで送るなど、ちょっとした工夫を加えることが大切だ。そんな配慮こそが、人間関係をより上質なものにさせ、組織の中でのあなたの存在価値を向上させるヒントになるのだ。

25歳からのルール
53

たまにはタメ口で話してみる！

毎日毎日、顔を合わせる上司に対して、尊敬語や謙譲語の「使い分け」は別として、堅苦しい言葉遣いでコミュニケーションしていることはないだろうか。

もちろん、美しい言葉遣いで、礼儀正しく仕事に取り組めることは大切なことだ。

しかしいつも堅苦しい言葉に徹していると、お互い息苦しく感じることも少なくない。

上司も人間だ。堅苦しい雰囲気より、リラックスした雰囲気で仕事ができたほうがいいと思っている場合もあるのではないだろうか。

会社勤めをしていた当時、僕の部署に来てからずっと、硬い敬語を使う後輩がいた。

僕自身も後輩の彼が本当はどのようなキャラで、普段友人とはどんな話し方でコミュニケーションをとっているのかを知りたかったから、「ちょっと硬すぎない？　僕にはもっとラフな話し方でいいよ。」と一声かけてみた。それから彼は、業務にはさほど関係のない趣味の話や、家庭の話など、ざっくばらんな話を切り出してくれるようになった。お互い別々の会社になった今も、彼とのざっくばらんな関係は継続している。

定期的なコミュニケーションを取るうちに、この先輩にはもう少し砕けた表現でも大丈夫だな、この人はきっちり使い分けをすべきだな、というのがわかってくるものだ。

オープンマインドで最初から接してくれる人は、自分が心を開いているのと同様に、相手にもオープンな意見を求めている場合が多い。その**サインに気付くことが第一歩**なのかもしれない。

ここで見失ってはいけないのは、**礼儀を尽くす場面と砕けてもいい場面の違いを把握し、使い分けを図る**ことだ。

これは上司と部下の関係だけではなく、先輩と後輩やクライアントと営業担当などでも同じことが言える。いつもかしこまって話していると、お互いの距離感に一定の間隔ができて、パーソナルなコミュニケーションができなくなってしまうものだ。

タメ口というのは極端かもしれないが、**少し柔らかい表現、親しみの持てる言葉遣いで接してみるといい**だろう。

25歳からのルール
54

後輩に危機感を持つ！

ゆとり世代など、最近の学生のレベルが低下しているかのような報道がある。でも決して企業の採用基準が下がっているわけではない。今までよりむしろシビアな企業が多い。ということは、**毎年毎年、新人のレベルが向上している**ということも考えられるわけだ。

毎年春先に入ってくる新入社員や中途採用で入社してくる後輩からすれば、あなたは立派な先輩だが、彼らの中には、あなたを追い越してグングン前進しようとする人材もいるはずだ。

僕がお手伝いしている企業の中には、完全に実力主義で新入社員から幹部社員まで評価しているところがある。ここでは先月まで上司だった人が部下になるような逆転人事が頻繁に行われている。しかも、毎月のように短期的なサイクルで人事制度が運用されている。

ここまで極端な例ではなくとも、後輩に対して「追い抜かれるのでは？」という危機感を持つことは、今や珍しいことではない。日々自分が先を行けるような工夫や努力をしておかないと、明日にでも抜かれてしまうことは必至なのだ。

ここで大切なのは、後輩を蹴落とすことではない。**先輩として教えるべきことはきっちり指導した上で、切磋琢磨してお互いが成長すること**が一番のポイントだ。

ずる賢さは必要ない。真っ直ぐ、自分と向き合うことだ。

また、「オレはこの会社では先輩だから」といった「お山の大将」的感覚は、その会社の中では通用するのかもしれないが、他社と比べてみたり、一般的な社会においては、全く通用しないケースも多い。ある会社の課長クラスが別の会社の人事担当からすれば、一般社員以下のレベル、なんてこともよくある。

僕も一ベンチャー企業の代表に過ぎないので、常々、感覚をマヒさせないように、同年代の経営者や現場で活躍されている若手社員の方々との交流を欠かさないようにしている。

そんな輪の中にいると、僕自身もまだまだいかん、という危機意識が強くなり、自分を改めて鼓舞させるきっかけになるのだ。

他の釜のメシを食いに行くことも、自分を客観視できる重要なチャンスだ。

25歳からのルール

55

「学ばせてもらっている」姿勢を忘れない！

25歳を過ぎ、1人前に仕事をこなせるようになると、自信もついてくるし、ある種の「驕《おご》り」や「勘違い」も生まれてくるのも事実だ。

ただ、ここで天狗になってしまうと、そこで成長はストップしてしまう。

僕らはまだまだ無知なのだ。

知らないことも経験していないこともたくさんあるし、今、目の前の業務をスムーズに進められたから、少しの実績を上げたからといって、まだまだ学ぶべき、習得すべきことは無数に存在する。

ある先輩経営者の話を紹介しよう。

彼は20代のとき、自分で作ったベンチャー企業を売却して、経済的にも裕福になった時点で、一度天狗になってしまったという。要するに「すべてを手に入れた」そんな勘違いをしてしまった。しかし、しばらくして次に何をしていいのかがわからなくなったときに、寒気を感じたという。ようやくこれではいかん、と気付いたのだ。

売却した会社はＩＴサービスを行う企業で、彼自身もＩＴしか専門知識がなかった。次のステップもＩＴを、と考えたときには、もう自分が構想するようなサービスは後続で出てきており、なかなか次のステップが見出せなかったという。ただ金融や人材、飲食、医療、不動産など、別事業に対する興味を持ち、業界のトレンドや専門知識を学習するにつれて、まだまだやらなくてはいけないことがたくさんあることに気付いたそうだ。

彼のように独立してからは、学習することは時間もお金も一方的に出て行くものだが、会社に勤めている人は、その会社にいながらも、いろいろと学ばせてもらえることが多い。普通、学習というと授業料を払うものだが、給与という形でお金をもらいながら、学習できる場所はなかなかない。

上司の小言を１つとっても、**「学ばせてもらっているんだ」という謙虚な気持ちで受け取ることができれば、もっと仕事の中身を追究することができる**のではないだろうか。

謙虚で素直な人ほど、学習におけるインプットはスムーズだといえる。

それをアウトプットした結果は、後から自然とついてくるものだ。

25歳からのルール 56

上司と部下の狭間で調整役に徹する！

25歳を過ぎると、そろそろ一通り仕事を覚え、後輩ができたり、早くも部下ができて、マネジメントし始める人が出てくる。

そうすると、先輩と後輩の間や、上司と部下との狭間で調整を図るときが出てくるものだ。

僕がサラリーマン時代に経験した一番大きな部署は、全部で100名ほどの組織だった。当時主任だった僕の上に課長がおり、僕の下に20名ほど後輩や部下がいた。

あるとき、業務連絡のルールについて、あまりにも細かく設定されてたため、後輩たちから「忙しい合間に詳細な報告書を作成することがなかなかうまくいかない」といった悩みが上がってきた。一方、上司の課長に話を聞くと、「会社の方針で制度を作ってきたものだから、いくら煩雑でも徹底してほしい」という返答だった。

完全に意見が衝突しており、その狭間に立って、どう調整するかが、僕の命題となった。現場にヒアリングを重ねると、確かに報告書を書くために残業してしまっているメンバーがいたり、報告書で書いたことを会議でも再度報告していたり、と無駄なものが浮き彫りになった。

僕は課長へ提案することにした。課長もなかなか頑固な人で、即、快諾することはなかった。現場の円滑な業務推進のため、ということで、思いが先行するあまり、語気を強めることもあったが、徹底的に衝突してみた結果、報告書の雛形をより簡素化し、記入しやすくすることで現場への負荷を軽減することに成功した。

20代後半に入る僕たちは、**組織の中の潤滑油になる**のだ。

バブルを経験してきたような管理職と、これから入ってくるゆとり教育世代には、必ずジェネレーションギャップが存在する。そんなギャップを埋めるのは、あなたにしかできない役割なのだ。

間違っていないことは上司に対して、真正面からぶつかっていけばいい。

「本音と建前」によってかき消されることがあったとしても、そんな先輩の背中を必ず部下や後輩たちが見てくれているはずだ。

25歳からのルール

57

失敗談を語る先輩を探す！

僕の周りには多くの経営者の先輩がいる。

これらの先輩に共通していえるのが、失敗したことをこれでもか、というくらいオープンに語ってくれることだ。

企業を経営していく中で、会社を破綻させてしまって、苦しい時代を乗り越えたという話から、一ビジネスパーソンとして、新人のときに上司から大目玉をくらって、この際、辞めて海外にでも逃亡してやろうかと思ったというような話。

さらには「慌ててタクシーに乗ったら、お気に入りのズボンのお尻が破けて、また慌てて自宅に戻った」というようなプライベートにおける、カッコ悪い自分の話を、明るく笑いながら話す人が多い。

後輩に自分の失敗やカッコ悪いところをおおっぴらにすることは本当に難しいと思う。

だけど、おおっぴらにしてもらえたことで、その人の本質に関わる部分、「核に触れる」ことができる。**核に触れると、自分も自分の核を見せざるを得なくなる。**

プライドとか地位を気にするあまり、会社では全く自分のプライベートは明かさないという人もたくさんいる。

リーダーたるものはメンバーに対して、確固たる地位で憧れの存在でなくてはいけない、と考えているためだろう。それが管理職や経営者としての安定感や凄味というイメージにつながるからだ。

僕も今まではそうだった。周りに自分の腹の内を見せると、変な憶測が立つのではないかとか、印象が悪くなるのではないだろうかといった過度な心配があったように思う。

ただ、自分をオープンにしてからは、たくさんの人と、より深い接点を持つことができるようになった。

仕事は結局、人と人がやるものだ。

会社と会社でビジネスをやっている限りは、本当のおもしろみは出てこない。個人の人柄やキャラクターによって、もっともっと深い仕事ができるものだ。

そのためにも、お互いが核心に触れ合える、上司部下の関係性は大切にしていきたい。

第６章

無理せず敵ナシ！
コミュニケーション

25歳からのルール
58

甘え上手になる！

あなたの身の周りには、ぶっちゃけて腹を割って話ができる人がどれだけいるだろうか。

家族、友人、先輩、後輩、恋人、パートナー……

身の周りを改めて振り返ってみてほしい。

25歳を過ぎた僕たちに求められるのは、**周りにどれだけ自分の内心を打ち明け、甘えられるか**だ。

というのも、仕事もある程度1人前にこなすことができ、自分なりにやりたいこともできるようになってきている年代だからこそ、「ええかっこしぃ」な自分が出てくるからだ。

僕の場合も、「1人でできる」とか「自分はすでにちゃんとできているから」といった、変な自信やプライドによって人に甘えることができず、また、周囲からのアドバイスを素直に受け止められなかった時期があった。

その結果、本当に困ったときに誰にも打ち明けられず、自分１人でどうにかしようと、抱え込んでしまう要因となっていた。

人に甘えることができれば、必ずラクに物事を進められるようになる。

ここでいう甘えは、**アドバイスを乞うこと**だ。「アドバイスがほしい」といわれてＮｏと答える人はまずいない。

ある先輩の話だが、彼は本当に甘え上手だ。「法律のことならこの人」とか、「インターネット系の話ならこの人がピカイチ」というような、その筋のプロを周囲に多数揃えておき、新しい仕事の度に相談相手を変えている。相談相手が各分野の専門家であるため、非常に的確なアドバイスを得ることができ、どのプロジェクトでもスタートアップが非常に早い。

「商品知識のことならあの先輩に」「結婚のことなら、昨年盛大な挙式をしたあの友人に」というように、あなたの身の周りにも、各々相談し甲斐のある人がいるだろう。テーマ毎にいろんな相手に甘えてみよう。

甘えっぱなしではなく、常々教えてもらっている、勉強させてもらっているという意識を忘れず**相手に感謝を表現**できるならば、うまくいくはずだ。

25歳からのルール
59

苦手な人にこそ声をかける！

「敵はどんどん作れ」という先輩もいた。

でも僕は、「**いつどこでお会いしても、知らんぷりせず、挨拶程度はできるようにしておくこと**が大切だ」と別の先輩から教わったことを念頭において日々行動している。

さて一期一会の出会いであれば、挨拶ができればいいのかもしれないが、毎日顔を合わせる周囲の人に対して、苦手意識がある場合、どうすればいいのか。

僕も上場企業で勤めていた際、人数が多かったので、中には絡みにくい人がいたことは間違いない。常に上から目線だったり、言うことがいつもころころ変わる人だったり……

最初は敬遠することばかりを考え、会議でもそういう人の周辺には座らないようにするとか、直接的なコミュニケーションを取らなくて済むように、メールで済ませたり、そういう人の周囲のメンバーに対して、コミュニケーションを図ったりしていた。

しかしある日、新規事業のプロジェクトを、僕が苦手とする人と僕が中心になり、実行するような指示が上司から下りてきた。

本当に最初は逃げ出したくなった。だが、目上の人だったこともあり、意を決して、自分から挨拶を兼ねてコミュニケーションを図ることにした。案の定、相当な上から目線で、いつもピリピリしていて、本当にコミュニケーションが図りにくかった。

一方でプロジェクトは進めなければいけない。板ばさみ状態だ。

このとき、何を思ったのか、僕はその先輩に「今日飲みにいきませんか?」と、こちらから誘ってみた。すると意外にもＯＫ。

食事をしていろいろ話をしていると、「やっぱり苦手」と思うことも正直あったが、一方で、「そんなことをいつも考えているのか」と共感できることも多かった。あえて自分からコミュニケーションを取っていなければ、発見できなかったことがたくさんあった。

苦手意識のある人ほど、まず先入観を捨て、自分から歩み寄る姿勢をとることが大切なのだと気付いた瞬間だった。

もし、あなたの身の周りに苦手な人がいるならば、まずは一歩踏み出してみてはどうだろう。

25歳からのルール
60

応援されたいなら応援する！

僕がさまざまな企業で研修を実施できたり、書籍を執筆できるのには訳がある。

それは、**人に応援されているから**だ。

クライアント企業の皆様やパートナー・アライアンス企業の皆様をはじめ、従業員など多数の方々に支えられ、応援されて今の自分がある。

僕の周りにいる、各業界で活躍している人達にも共通するのが、間違いなく、誰かに応援されていることだ。

そして、**応援された分、誰かを応援しているの**だ。決して一方通行はしない。誰かに応援されているということは、誰かを応援しているのだ。

応援は、難しいものじゃない。少しでも良いな！とか、ためになる！と思ったサービスや書籍、商品など何でもいいから、周囲にオススメしてあげればいいのだ。

僕は身近なツールとして、ブログやメルマガを活用している。

友人が新しい書籍を出すといえば、早速自分のブログにその内容を紹介し、オススメする。知り合いのレストランがあまりにもおいしかったので、感謝の気持ちを伝えるため、そして1人でも多くの人に同じ感動を味わってもらうべく、メルマガで紹介する。

僕は、ブログは書き始めてから必ず毎日更新するようにしているし、メルマガも定期配信している。そうすることで、定期的かつ頻繁に誰かを応援できるし、写真や文書という形で、未来まで残るため、第3者が情報を受けてイメージもしやすく、活用もしやすい。

私はブログもメルマガもやっていない、という人は、別にＩＴを活用しようとしなくてもいい。言葉を使えばいいのだ。

あなたの言葉から発せられる応援メッセージや、第3者に対しての口コミこそが、何よりの応援になる。応援を継続していると、応援した相手からも感謝されるし、良いサービスや商品を知ることができたという第3者からも感謝される。

他者のことを応援することはいいことづくめだ。そして、**今、この瞬間からだって、できる**ことなのだ。

さぁ、自分だけではなく、**周りの幸せも共に積み上げていこう。**

25歳からのルール

61

ちょっとしたスキを作っておく！

僕は日々企業で研修やコンサルティングをしたり、大学で教壇に立つこともあるため、ときどき先生と呼ばれることがある。また、「仕事の効率化」や「ダンドリ力《りょく》強化」といったテーマでの書籍を書き、多数の方々に自分なりの仕事術などを教えている立場にある。

若くして成功されてうらやましい、すばらしい、と言っていただける一方で、そんな僕だからこそ、苦しんでいる悩みだってある。

というのも、どこへ行っても「テキパキと仕事をこなす人」とか、「ダンドリが良い人」というレッテルを貼られているため、**ちょっとしたミスができないのだ**（苦笑）。

たとえば、毎年行っている、経営者を中心とした３００人規模の忘年会。

当然、先輩経営者からすれば、「吉山くんはダンドリの人なんだから」という理由で幹事として任命され、かれこれ３年ほど継続して開催している。多数の経営者や、そうそうたるゲスト陣の前で、あたふたもできない。

ほかにも、結婚式の幹事などもそうだ。

先日行った先輩の結婚式の二次会も、開始時刻が30分も押してしまったにも関わらず、当日になって挨拶をしたいという急なプログラムの追加があった。どうしたものかと、披露宴の途中からタイムテーブルを変更し、司会者へ伝達、どうにかオンタイムで終了、というような冷や冷やのエピソードもたくさんある。

キミは完璧なんだから、失敗なんてあり得ない。けれど成功してあたりまえ。

そんなシビアな世界で生きていると、なかなか辛いこともある。

僕の場合は仕事柄もあり、あえてそういう状態に身をおき、さらなる成長を自分に促がしているつもりだが、**完璧にやってしまうと、逃げ場を失う**ことにもなる。

なので、最近はほどよく、「僕も普通の人ですから！（笑）」とアピールするように、ヘマを見せたりしてみる。

全てにおいて完璧な人なんて存在しない。**完璧を目指すことなく、ほどよく力を抜いて、スキを見せられる**くらいのほうが、人間味があって、いいものだ。

25歳からのルール
62

言いたいことはハッキリ言う！

あなたは、周囲とのコミュニケーションの中で、「まだ自分は若いから」と言って遠慮してしまったり、言いたいことを言えないまま、不完全燃焼で終わるようなことはないだろうか。

僕の会社では、**会議をする際に、「発言しない（できない）者は参加しない」**というルールを作っている。

会議において、1人1人が自分の意見を持ち、ある人の意見に対して意思表示をしないことには、特定の誰かの意見にくっつくだけの金魚のフン的な議論になってしまう。

「彼の意見に対しては僕も賛成だ」とか、「この部分は容認できるが、ここはもう少し改善してはどうだろう」といった、参加者全員の意思表示こそが、その場の空気を作り出すために、徹底して継続している。

会議という場では、上司部下、先輩後輩という上下関係を意識する必要は全くない。目上の人間と衝突することがあっても、自分の意見に自信を持つだけの準備や、論破するだけのロジックが組み立てられるのであれば、堂々と声を大にして発言すべきだ。

かくいう僕も、20代前半のときは遠慮もしたし、目上の人間の顔色を伺いつつ、発言を慎んだこともあったものだ。しかし後から、「あのとき発言しなかったせいで、自分の思惑とは反対の方向に行ってしまった」とか、「自分に矛先が向いて仕事量が増えてしまった」といった後悔を経験することが少なくなかった。

少し前に「ＫＹ」なんて言葉が流行ったが、空気を読みすぎて失敗することもあれば、控えめキャラで損をすることだってあるものだ。

どれだけ声の大きい先輩や上司がいて、強く自分の主張をしていたとしても、ひるむことはない。「周りがどう思っているのか？」「部下の意見はどうなんだろう？」というように、周囲の意見を参考にし、自分の意見に客観性を持たせて発言したいものだ。

ハッキリ発言する頻度に比例して、その場や、その組織への貢献度も向上する。

どうせやるんだから、自分の参画意識を高めてやったほうがおもしろいに決まっている。まずは小さな発言からはじめてみよう。

25歳からのルール 63

最初の5秒でつかむ成功方程式を持つ！

企業研修の中で、受講者に自己紹介いただくケースがよくある。

「では、今から1人1分で自己紹介してください。」

研修の冒頭にこう言うと、1分も何を話せばいいかわからないという人が多い。名前と部署を話して終わり。まったくあっさりとした自己紹介で終わってしまうのだ。

僕も昔はそうだった。自己紹介にしろ、プレゼンにしろ、後からあれも話せばもっとよくなった、これも話せばもっと話に広がりが出た、と反省点が浮き彫りになってくるケースが多かった。

なので、「毎回自己紹介といえばこのネタを話す」とか、「プレゼンの場ではこういう切り出し方をするとうまくいく」といった**成功するための方程式を持っておく**と安心だ。

僕の場合、初対面の人にご挨拶する場合には、必ず僕が得意分野としているダンドリのお話を必ずするようにしている。すると、**「吉山＝ダンドリ」という方程式が相手の中でもできあがり**、その先、たとえ名前を忘れてしまっていても、ダンドリという言葉だけで、顔や名前を思い出していただける。

話題作りが下手だとか、自己紹介が下手だと苦手意識のある人ほど、**自分自身を何かにすり替えることによる相手への「すり込み」が効果的になる**のでぜひ、試してみてほしい。

成功のための方程式作りに際しては、もう1点ポイントがある。

それは「**条件反射**」を自分から作り出せるようにしておくことだ。

僕の場合、講演でもプレゼンでも、最初に大きく挨拶することから切り出すようにしている。声を腹から出し、自分自身に対して開始の合図をするという条件を与えることでスムーズに進行できる。言ってしまえば、冒頭の挨拶がちゃんとできれば、あとはうまくいく、という根拠のない自信があるのだ。

成功するための方程式には、根拠はいらない。あくまで成功すればいいのだ。

このように、**うまく事を進めるための「型」を持っておこう**。

万事有効な無敵の魔法の杖にはならないが、成功する確率は高まるはずだ。

25歳からのルール
64

第三者の声を借りて褒め上手になる！

人間は、悪いウワサ話や風評ばかりをクローズアップする傾向にあるといわれる。

たとえば、田舎の公立中学の教員がいくらいい教育を実践していても、なかなか「あの先生はすばらしい！」とニュースにはならないが、不祥事を起こすと、全国的に悪者として、つるし上げにあってしまう。

メディアでの報道のみならず、これは個人の意識としてもそうだ。

特に日本人は褒めるのが下手と言われる。というのも、褒めても「何のゴマすりをしているのか」とか、「何か裏があるのでは」と深読みされてしまったり、そもそも褒めることは恥ずかしさを伴うため、なかなか正面から褒め合うことはしないものだ。

しかし、あら探しをするくらいなら、褒められたほうが誰でも嬉しい。

ではどうすべきか。

一対一で相手をストレートに褒めるのではなく、**第三者の力を借りて褒める**のも手だ。

僕も部下に対して直接褒めることもあるが、「彼は最近頑張っているよね」「彼女の成長っぷりが会社に貢献しているんだ」と社内の別のスタッフや社外の方に対して話をすることで、間接的に伝えたい相手に伝えてもらったほうが信憑性がグンと上がるものだ。

これは商品広告やＣＭでも使われている戦略だ。

企業が「ウチの商品は最高です！品質も保証します！」と言っても消費者からすれば信憑性がないが、ユーザーという第三者の声を借りることで、商品のアピールポイントに客観性・信憑性を持たせることができる。

また、褒める際は、**ほんの些細なこと**でいい。

あまりにも意気込みすぎてしまうと、わざとらしくなってしまう。

相手の話し方、表情、あるいは、服装や小物といった**目に見える部分から「褒めポイント」を探してみる**ことをオススメする。あるいは自分が褒められたら嬉しいポイントを重点的に褒めることもいいだろう。

褒めるには、相手のいいところに気付くことが第一歩だ。

ただ傍観するのではなく、しっかり周りに気を張り巡らせる訓練にもなるはずだ。

25歳からのルール
65

社交辞令で終わらせない！

「また今度飲みに行こう！」

「ぜひぜひ――！」

こんな会話をよく聞くが、これで本当に飲みに行くケースがどれだけあるだろうか。

頻繁に会う相手ならまだいい。定期的に会う予定もなく、予定を事前に確保しなければ会えない相手との会話だとすれば、何カ月経っても、この会合は実現しないだろう。


あなたが本当にこの相手と今後もつながっていたいのであれば、社交辞令でこんな発言をするのをやめて、**その時点で、日程調整すべき**なのだ。

お互い忙しくたって、その場で手帳を開いて、日程を埋めよう。数カ月先でもいい。

こうやって1つ1つの言葉やイメージを具現化、リアルにしていくことが大切なのだ。

僕もなんとなく終わる商談や会議を、幾度となく見てきた。

会議の中で出た、自社や自部署への持ち帰り事項や議事録のまとめなどの「宿題」や次回の日程を明確に設定せずに、その場を終了してしまう。するとその場で議論した内容は形骸化、放置されてしまって、終わることだってある。ウチの会社ではいつまでに何をすべきかを決めないと会議が終了することはない。

締め切りを区切ることとは、周りに対して約束（コミットメント）を交わすことでもある。自らが交わした約束に基づいて、連携している周囲の人々が「そのつもりで」動き始める。この誓約が社交辞令だったとしたら、周囲の「そのつもり」がどんどん狂いはじめるだろう。

だから、何かを守るべく、周囲の人のコミュニケーションを図ることが大切だ。

誰かが発信したら誰かが受信し、約束通りに行動に移す。

その小さな積み重ねこそが信頼になり、その人の人望へと変わっていく。

果たせない約束は、最初からしないことだ。

やると言ったらやる。そんなあたりまえこそが、信頼を勝ち取る第一歩だ。

25歳からのルール
66

相手に心の準備をさせる！

人前で講演やプレゼンをする機会が多い僕も、その昔、先輩経営者や上司から「お前は何を言っているのかわからない。」と一蹴されたこともあった。日々講演や研修をする中でも、いまだに、人にわかりやすく伝えることは本当に難しいことだと、痛感している。

これは多数の企業にお邪魔している経験から言っても、同じようなお悩みや苦手意識をお持ちの人も多いと感じる。

相手にどう伝えるか?という小手先の技術に走る前に、**そもそも相手に話を聴いてもらえる体制になっているのか**を確認してほしい。

たとえば、上司に相談や報告をしようとした場合、あなたならどう切り出すだろうか。

「ちょっと話があるのですが、よろしいでしょうか?」

忙しそうな上司に気を遣い、今大丈夫かどうかを確認することはやっているだろう。

だけど、相手の立場になって考えた場合、「話って何のこと?」という疑問が生まれることにお気付きだろうか。疑問を抱かせることで、相手に話を聴く体制を作ってもらう以前に、不安を抱かせたり、身構えさせてしまうことがある。その結果、「今はダメだ」とNGをくらうことも多い。

ここで大切なのは、**相手に心の準備をさせることだ**。

「次回の営業会議の件でご相談があるのですが、よろしいでしょうか?」と切り込めば、相談内容が明確なため、相手に「○○の件」と具体的な要件をイメージさせることができ、相手も安心して話を聴く姿勢をとってくれる。

互いが言いたいことを好きなだけ言い合うような自己中心的なコミュニケーションをとっていては、落としどころは永遠に見つからない。

まず相手が自分の話を受容するためのダンドリをすることで、より、相手の立場や気持ちを考えてコミュニケーションを図ることになる。

あなたが、周囲の人に何か伝える際には、「今回のお話の要点は3つです」とか「例のプロジェクトの件で会議を実施します」と、何についての話なのか?**全体像をイメージさせ、相手が受容しやすいように心の準備をさせてあげる**ことを意識してほしい。

25歳からのルール
67

バッターボックスにきちんと立つ！

あなたは野球をしたことはあるだろうか？

バッティングセンターでバッターボックスに立った経験でもいい。

ピッチャーがどんな球を投げてきても、はじき返せるようにするには、バッターボックスの真ん中にきちんとポジショニングしておく必要がある。端っこに立っていては、どれだけ良いバッターでも打ち返すことは困難だ。

ここでいうバッターボックスとは、**自分の立ち位置**のことだ。

たとえば、上司や先輩が一生懸命、仕事内容の説明をしてくれていても、メモを取らないとか、うわのそらだったり、当事者意識を持てないようでは、いくら恵まれた環境においても、あなたが得るものは何もない。要するに**自分が相手に対しても全身全霊で向き合うことができているかどうか**、を問いかけてみてほしい。

僕もベンチャー企業を立ち上げた後に、新入社員として入社したときはそうだった。「そんなものは言われなくてもわかっている。」自分なりに社会のことはわかっているつもり、というだけでナナメに構えていたのだ。

そんな立ち位置だと、当然、球を打ち返すことはおろか、ちゃんとバットを振ることさえできない。いわば打席には立つが、全く打てない、すなわち、仕事ができない状態だ。

そんな失敗を繰り返すことで、**打席に立つときはいつも真剣に、実力を発揮できるだけの立ち位置をキープできているかを考えるようになってきた。**

研修前日には体調管理を万全にし、全力で「試合」に臨めるようにコンディションを整えたり、真剣に質問してくる受講者やお悩み相談されるクライアントに対しては、全力で応えられるような準備を入念にしたり、フォローアップを丁寧にすることを心がけている。

あなたも、**自分がバッターボックスにきちんと球を打つ体制で入っているかを確認してほしい。「立っているつもり」では、球をとらえることはできない。**

最近仕事や対人関係であまりうまくいっていないとか、不安が多いという人こそ、今一度、自分がその悩みや課題に真剣に向き合えるだけの工夫をしたり、環境を作っているのかを見直してみよう。立ち位置は、いつでも修正できる。

第７章

オトナの衣食住のルール

25歳からのルール

68

ガード下から三ツ星まで、自分の舌で味見する！

「このお店は、あの評論家も絶賛でいつも行列が絶えないらしい！」

「あの新店舗は、フランスから来たシェフの腕もあって、三ツ星レストランと言われている！」

「あのレストランはネットの口コミ欄で、すばらしい評価を受けている！」

こんな情報をもとに、グルメ探訪に出かけることも人生の楽しみの1つだといえる。

僕のブログの中でも「うまいもん」とカテゴリーに分け、出張や会食などで全国津々浦々のおいしいレストランやお鍋、ラーメン屋さんなど、多岐に渡るグルメレビューをしている。ほかにも多数のグルメサイトがあり、さまざまな切り口での評価がなされている。

しかし、これらの情報を全て鵜呑みにし、振り回されていることはないだろうか。

僕も今まで多数の情報誌を買い、口コミを見て名店と言われるお店にお邪魔した。しかし、全部その通りというお店は数少ないものだ。なかには広告費を払って掲載しているお店もあったりする。グルメサイトにしろ、情報誌にしろ、あくまでライターやレビュアーの主観で書かれているものも多いため、期待度を高めてお店に行く分、リターンが想像以上でないと、満足することは難しくなる。

実際、自分の舌で確かめて、本質を見極めることが大切だ。

これは、食のことだけではない。

情報が氾濫する世の中において、本質を見極める「鑑識眼」が必要とされている。口コミサイトを見れば早く正確に客観的な意見が見えるのかもしれないが、**最終的にジャッジするのは自分**ということを忘れないでほしい。

仕事においても人生においても、自分で本質を見極めて判断する力が求められる。食という非常に身近なところでも、そういった力を養うことができるのだ。鑑識眼を持つことができれば、自分の意見はこうだ、といった主体性さえ身に付く。

何事もリアルなものは現場に存在しているのだ。

まずは行動し、自分の感覚で確かめる習慣を身に付けてほしい。

25歳からのルール 69

ダンドリを日常で徹底反復する！

僕は仕事柄、「ダンドリが悪くてどうしようもない……」「いつも行き当たりばったりで……」といったお悩み相談をよく受ける。

今や、日本で一番、仕事のダンドリに関する書籍を執筆し、講演や研修も年間200日以上実施する中で、ダンドリのプロと言われるようになったが、元々ダンドリがよかった訳ではない。母親に言わせるとむしろ不器用でダンドリ下手な子供だったそうだ（苦笑）。

いろんな人から、ダンドリがよくなったルーツを聞かれるのだが、まず1つ目はおじいちゃんっ子だったことだ。

隣町に住んでいたこともあり、夏休みやゴールデンウィークなどの大型連休のみならず、休日となれば祖父のもとで過ごしていた。

祖父は勤め先の企業でも総務部長を務め、非常にこまめで几帳面な性格だった。そんな祖父に夏休みの宿題の進め方から手帳の書き方までいろいろと教えてもらった記憶がある。**身近な指導者の元で徹底反復**を行うことができた結果、習慣づけられ、きちんと物事を進める力を身に付けさせたのかもしれない。

そしてもう1つは、早い段階からほんの少しでもダンドリをする機会があれば、自主的に進んで取り組んだことだ。

小学生の頃から、学級委員長をやったり、修学旅行の実行委員をやったり、新入社員のときにも、１００人以上いる新卒の中で懇親会の幹事をやったり、仲間内での旅行を企画したりと、とにかくダンドリをする機会を増やした。その分失敗もするし、周囲から怒られもするのだが、それも自分のナレッジとして蓄積され、「次は改善して取り組んでみよう」とか、「前回と同じ失敗をしないようにするにはどうしておけばいいか？」といった工夫をするようになった。

買い物、お料理、引越しなど、**日々の生活の中にも、たくさんダンドリをするチャンスがあるはずだ**。

そういった機会を逃すも生かすもあなた次第。まずは、この本を読んでいる今から、今日中にできるダンドリのことを考えてみてはどうだろうか。

25歳からのルール
70
そろそろ自分の体の心配もする！

僕は学生時代から周囲に「やせの大食い、大酒飲み」と言われている。今もよく食べ、よく飲み続けている。

しかし、アラサーになるにつれ、体重、体脂肪率が明らかに増加傾向だ。人間ドックのメタボ検診でも、まだまだ基準に達しはしないし、パッと見た目では肥満には程遠く、大丈夫では？と言われることが多い。

しかし、近年の生活習慣病の傾向を見ていても、20代や30代での発症が増えている。健康体を維持したいのなら、間違いなく、今から予防策を講じておかなくては、と危機感が強くなってきた。

僕らは良くも悪くも、恵まれた時代に生まれた。

冷蔵庫を開ければ何かしら食べ物が入っている家庭に育ち、スーパーやコンビニに行けば、飲み食いしたいものが好きなだけ手軽に手に入る。いわゆる「飽食の時代」の子だ。選択肢が多い分、好き嫌いも多く、偏食の傾向が強いとも言われている。

今の子供たちには食育という言葉があるが、僕たちが子供のときはそんな概念すらなかった。これから自分の分身である子供たちを育てていく親としても、自分たちの食を考えることが必要ではないだろうか。

遅かれ早かれ、自分の身体にはガタは来る。

運動やエクササイズもいいが、それと同じように、日々の積み重ねによる、健康体を構築、維持していくために何ができるか考えることが肝心だ。

危機感を持った僕はまずカタチから、ということで、トレーニングウェアとスニーカーをそろえ、ランニングを始め、継続している。人によってはフィットネスジムやスイミングスクールに申し込むという入り方もあるだろう。**きっかけは自分で作るものだし、そんな環境や仕組みを作ってしまえば、継続することも容易になる。**

人生の3分の1を過ぎたからこそ、そろそろ「最後の3分の1」をイメージしつつ、自分のためだけではなく、周囲のことも考えながら、セルフコントロールしていこう。

25歳からのルール
71

どう見られているのか？を考える！

仕事柄、社員研修で多数の企業にお邪魔する。

新入社員研修が行われる4月、5月は、名刺交換や電話応対などのビジネスマナー、文書の書き方やメールのルールなどのビジネス文書、ビジネス社会で生きていくためのスタンス育成など、研修内容は多岐に渡る。一番の繁忙期だ。

しかし、衣食住といった身の回りの**生活力支援**については全く教えないのだ。

僕も社会に出てすぐは、スーツの着こなし方や貯金の仕方などについては一切学ぶことはなかった。もちろん、大学の中でも特にそういったことを授業やキャリアセンターでも教えることはない。先輩の背中を見て学べ、というのがほとんどだ。

そこまで手取り足取りやらなくても……というのも一理あると思うが、あまりにも脱線しているケースがあるため、ちょっと心配になる。

たとえば、スポーツバックで営業先に出かける若手社員。舞台女優を髣髴《ほうふつ》とさせる、ロングつけまつ毛で商談に登場する女性社員。ダボダボでズボンの裾が擦り切れているスーツを着ていたり、靴のかかとが摩擦でほとんどなくなっていても放置していたり。

そんなビジネスマンを見ると、誰か周りが教えてあげてほしい、と思ってしまう。

かくいう僕も、スーツにしろ、靴にしろ、最初はどうしていいのかわからず、適当に見繕ったものを着ていた。

しかし、仕事柄もあるだろうが、自分がどう見られているのか？を意識するようになってきた。そのため、しょっちゅう同僚や上司に「これ、どう思います？」とお伺いを立てていたのも事実だ。

興味のない人に、いきなりファッション雑誌を参考にしてこうしよう！とオススメする気は、さらさらない。ただ、**第3者視点から自分を見る**ことができれば、正すべき点は必ず1つや2つは見えてくるはずだ。

いまだに僕も日々、出かける前に、奥さんという自分以外の視点も借りながらフィードバックをもらって試行錯誤しているのだから（笑）、あなたも、周りの人にもっと自分の改善点や魅力に気付かせてもらってほしい。

25歳からのルール
72

「今のところは」やらないことを決める！

まず質問。

「あなたがこれからの人生の中で、やりたいことを洗い出してみてください。」

では2つ目の質問。

「では、そのやりたいことの中から、優先順位を付けてみてください。」

どうなっただろうか。

世界を旅する、結婚する、マイホームを購入するなど、できるできないは別として、いくらでも出てくるだろう。一方で優先順位をつけるとなると、迷ったのではないだろうか。

要するに、**「やりたいこと」は「やらなくてはいけないこと」ではないため、なかなか優先順位をつけることが難しい**のだ。

なので、やりたいことの中でも、切り捨てられるもの、やらないと意思決定できるものは、どんどん削っていくことも大切だ。

僕の周りに同じことを聞いてみると、「お金も時間も膨大にかかるから、世界一周旅行はやらない」「子供を生みたいが、仕事もおもしろいし、自分の時間も大切にしたいから、今はつくらない」というように、やりたいけど、今はやらない、というものが出てきた。

ここで大切なのは、やりたいことを捨て去ることではない。

「20代の内はマイホームは購入しない」「貯金が３００万円貯まるまでは婚約しない」「都心部に住んでいる限りは車の購入はしない」というように、**期間や条件を限定して、やらないことを決めてもいい**のだ。

というのも、最初から「マイホームは買わない」などと決めつけてしまうと、八方塞がりになる。その結果、息苦しくて継続できなくなったり、変化に対応できなくなったり本末転倒だ。経済的に余裕ができたり、金利が変動して購入したほうがお得な場合も出てくる。**ルールを遵守しつつ、ある程度の余裕を持ち合わせておく**とバランスが取れるものだ。

願望を願望で終わらせないで生きよう。

ただ、優先順位と実現の時期については、しっかり考えておくことが大切だ。

夢は水面下であっても持ち続けよう。

25歳からのルール
73

戦闘服を持つ！

あなたは、とっておきのワードローブを持っているだろうか？

冠婚葬祭の際の礼服や着物、タキシードやドレスなどがその1つだろう。25歳にもなれば、式典や祭事に出る「よそ行き」の衣装を少なくとも1、2着は持っておくべきだ。ただ、これらの衣装は、そんなに高い頻度で着るものでもない。とすると、現実的にはもっと「使える」1着を持っているかどうかだろう。

なので、ここでは、仕事やプライベートといった日常生活の中において、**とっておきのワードローブ**を持っているかどうかを振り返ってみてほしい。

ここでいうワードローブは、決して高価なものでなくていい。「このスーツを着ると頑張ろう！という高揚感が得られる」とか、「このワンピースを着ると、周囲の評判が良いので、振る舞いが女らしくなる」といった、**身に着けることで、意**

識や気持ちの持ち方が変わるものをさす。

僕の場合、企業に講演やコンサルティングにお邪魔する際、よく磨いた靴を履き、パリっとアイロンがかかったシャツにネクタイ、プレスしておいたスーツに身を包むことで、「講演をするぞ」というモードに自分を入り込ませるようにしている。

パブロフの犬ではないが、人間は、環境や外的な要因によって、意識が変わるものだ。お気に入りのワードローブといえば簡単だが、ある意味「戦闘服」なのだ。戦場に赴く際の心構えを作るということだ。今日は出会いがあるかもしれない！と意気込んで、オシャレしていくのも出会いのある「戦場」に赴く心構えとして正しい。仕事でもプライベートでも、**自分の意識を変えられるアイテムを持っているかどうかが肝心なのだ**。

また全身を完璧なコーディネートにする必要はない。1点でもいいから、意気揚々と自信につながる逸品があればいい。

僕はあるプロジェクトが終わったら、必ずネクタイを購入している。すると、そのネクタイをする度に、プロジェクトで経験した失敗や頑張った思い出を思い出すことができる。

身に着けることで、触れることで、初心に帰ることができる、そんなアイテムも1つ2つ持っていてもいいのではないだろうか。

25歳からのルール
74

自分にご褒美できることに感謝する！

日常生活にこそ、普段の仕事のモチベーションの源泉が隠れている。

というのも、僕たちは、**充実したプライベートを過ごすために仕事をしている**部分も大きい。逆を言えば、**プライベートが充実していれば仕事も充実する**はずだ。よって、普段の何気ない場面に、仕事への「バネ」となる仕掛けをつくっておくことが大切なのだ。

僕の場合、毎日のようにいろんな企業で研修や講演を実施している。研修や講演が終わった後は、必ず自分にご褒美をあげる。

クライアントの皆さんと研修の振り返りをしながら、会食でおいしいものをいただく。自宅に戻ってからキンキンに冷えたビールやとっておきのシャンパンを用意しておくこともある。中長期のコンテンツ開発やコンサルティングが終わったり、書籍の執筆が終わると、「終わったら行こう」とダンドリをしていた旅行に出かけたり、プロジェクトメンバーで打ち上げをしたり。必ず、「達成した先に何があるのか？」を明確にして日々の仕事の動機付けを行っている。

ちょっとしたお楽しみでいい。

何か成し遂げた日は、いつも並盛りのところを大盛りにするとか、残業続きだった今週のご褒美として、買い物をしてマッサージを受けてから帰るとか、今日は頑張ったから飲み物と弁当だけではなく、エクレアも買っていい！と**自分に小さなご褒美を用意しておく。**

こんなプチご褒美の積み重ねこそが、１つひとつの行動を変えるきっかけとなる。

ここで大切なのは、「ご褒美があってあたりまえ」という感覚をなくすことだ。

コンビニで、いつもより余分にスイーツが買えることは、それだけの支出ができる環境にあるからだ。あたりまえのことがあたりまえでなくなったとき、すなわちご褒美を出したくても、できないときのダメージは大きい。

１つひとつのご褒美に感謝の気持ちと、自分への労いをこめて、ありがたみを忘れないことで、ご褒美を上げる効果も持続するものだ。

自分にご褒美を上げるときに、「ありがとう、お疲れさん、オレ」、「ありがとう、また頑張ろうね、私」と感謝することをやってみてほしい。

第８章

全力あげた
遊びのルール

25歳からのルール

75

その先の楽しみを考えて仕事する！

「今日も忙しいなぁ……」

こんなボヤキをしていることはないだろうか。

今日も忙しい、明日も忙しい、明後日も忙しい。

そう言っていると、5年後も10年後も忙しいと言い続けていることだろう。

僕自身も「忙しい」と言っていることが、仕事をしている裏返しなのだと思い込んでいたことがあった。「暇なヤツはダメなんだ」という偏見である。

しかし、「何のために仕事をしているのか？」という大前提に立ち返るとどうだろうか。

仕事をするために生きているわけではないはずだ。

もちろん「No Work, No Life」で、仕事がないとダラダラした毎日を過ごしてしまいそうで、生活にハリが出なくなる。生活費も稼がなければいけない。それは当然の話だ。

その上で各々、仕事をした結果、「自己成長」や「夢の実現」といった大きな目的もあれば、「おいしいゴハンを食べる」とか、「家族と旅行に行く」など、お楽しみやご褒美を目的に頑張っている人も多いはずだ。

仕事を一生懸命やっていれば、忙しいのは当然のこと。

その先に何があるのかを、とにかく洗い出してみてはどうだろう。

「自分は何のために仕事をやっているのか？」「どんなお楽しみがこの先に待ち構えているのか？」「これをやった後のご褒美はコレだ！」といったテーマで、ノートに書き出してみよう。

「忙しい」を口癖にして、目先の仕事にヤラレてしまっている自分がバカバカしくなるほど、「本来の自分」を再認識できるはずだ。

そうしている内に、「忙しい」なんて言葉はさっさと止めてしまったほうがいいことに気付く。

今、忙しいのであれば、「効率を上げるためにどうするか？」とか、「残業を減らすためにどうすればいいのか？」という思考で、次の一歩を踏み出すべきではないだろうか。

25歳からのルール
76

コンパ力を磨く！

仕事柄、書くことを躊躇するくらいだが（笑）、ぶっちゃけてしまおう。

学生時代、そりゃもう、たくさん飲み会をした。

2対2の合コンから、300人でのお見合いパーティのようなものまで大小問わず、幹事をすることが多かった。

思い起こせば小学生の頃から学級委員長をやったり、生徒会の委員をやったり、応援団長をやったり、遠足の班長を務めたり……　とにかく1つの組織を仕切り、同じ方向に導くことに楽しみを覚えていた。

当時付き合っている彼女はいたが、どちらかというと「おせっかい」で同級生が彼女候補を紹介して欲しいといえば、自分の彼女の周りの友人なども巻き込みつつ、飲み会をセッティングしていた。

飲み会をセッティングすると、マルチタスクで同時進行の作業を進めなくてはならない。相性やお互いの好みを踏まえた参加者の選定に始まり、予算や交通の便を考えて会場を選び、そして参加者全員への広報や最終出欠確認など、事前段階でも相当な量の作業を１つ１つクリアしなければ開催にたどり着けない。

また、当日もドタキャンがあった際の参加者調整や、場所がわからずに時間に遅れる参加者の誘導など、突発的なトラブルもつき物である。そして、飲んでいる最中も全体の空気を読み、席順調整や話題提供、料理や飲み物の配分など、状況把握力がモノを言う。

これらは、仕事においても会議や商談時に必要な能力が多数潜んでいることを、ご理解いただけるだろうか。

最近、ある大手企業の採用担当者が、内定者懇親会の様子を入社後の配属の判断材料にするとか、サークル活動やなんらかの組織の幹部経験を重視するという話をしていた。

バカ騒ぎして得るものといえば、ストレス発散くらいだ。

でも、**単なる遊びを遊びで終えるのではなく、状況判断やイメージ力、課題解決力やコミュニケーション力の醸成にも一役買っている**ことを覚えておいてほしい。

ただ、お酒はほどほどにね。

25歳からのルール

77

バカになりきる！

僕の知人の、ある上場企業の役員Gさんのエピソードだ。

この人と最初に出会ったのは、ある経営者ばかりの会合だった。

彼は部下を従えて、会議室に颯爽と登場した。知的な雰囲気の眼鏡とパリっとしたスーツ姿にアタッシュケース、会合の中でのハキハキとした受け答えからしても、デキるビジネスマンそのものだった。その後の会食でも、ほぼ全員が初対面ということもあり、最初はお互いの会社の話などを、遠慮がちにやっていたのだ。

一部のメンバーでカラオケバーに行ったときに、事件は起きた。

ネクタイを外し、眼鏡を外した彼はいきなり、裸で熱唱を始めた。

走り回るわ逆立ちはするわ、てんやわんや。

そして、周りの他の経営者の皆さんも、全く臆することなく便乗し、全員で大合唱。最初は硬い印象だったGさんが豹変して、バカになりきったことを受け、ひいてしまう人々ではなかった。その場を全員で作ろうと、全員でバカになっているのをすばらしく感じた。

多数の先輩方とご一緒してきて思うのは、特に膠着《こうちゃく》した場面において、雰囲気を改善しようと「場作り」のためにユーモアで創意工夫される人が多いことだ。

そして、その１つとして、**徹底的に自分がバカになりきり、周囲を牽引して、笑える環境を作る人が多い**ということだ。

その場の雰囲気や空気を作り出すのは、その場にいる人しかできないことだ。おもしろくないとか、一歩ひいてみていても、その時間は過ぎていく。だが、誰でも積極的に雰囲気良く、楽しく笑って過ごしたほうが実りは大きい。

「踊るアホに見るアホ、同じアホなら踊らにゃ損！損！」なんてフレーズがあるが、全員で同じ方向を向いてバカになれるのは、一体感を生むばかりでなく、その後の絆さえ生んでくれるものだ。

バカになりきったもん勝ち。何事も楽しんだもん勝ちだ。

眉間にシワを寄せて腕組みをしていないで、腹を抱えて、バカになろう！

25歳からのルール
78

仕事に遊びを取り入れる!

僕の大学時代の友人の話だ。

ある日、久しぶりに出会った彼に名刺をもらったところ、化学メーカーから飲食チェーンに転職をしていた。

なぜ転職をしたのかと尋ねたところ、「好きなものに関われる仕事がしたかったから」と、彼は言う。ズバリその「好きなもの」というのがビールだった。

確かに彼は学生時代からビールが大好きで、ほぼ毎日のようにビールを飲んでいた。当時ビール会社にも就職活動はしたらしいのだが、あいにく受からなかった。

だが、少しでもビールに関われる仕事はないかと探していたときに、今の会社にめぐり合ったそうだ。その会社では国産ビールも取り扱いがあるが、ドイツやベルギーなど世界各国のビールの取り扱いがあり、商社やメーカーとの付き合いも広がっており、間接的ではあるが、ビールに携わる仕事に就けていることで、やりがいを感じているようだった。「好きなことでは食べていけない」とか「趣味を仕事にはできない」という落胆の声をお聞きすることはよくある。

だが、本当に自分で探し求めている人は、間接的にでも自分のものにしている気がする。彼の場合もドイツにまで渡り、本場の醸造メーカーを訪問したり、国内でもビアテイスターの資格を取得したり、と、１つひとつできることを着実にやった結果、**自分で「好き」を「仕事」に変える環境を作り出した**のだと思う。

プロ野球に関わる仕事は何もプロ野球選手だけじゃない。球団、グッズメーカー、スポーツ用品メーカー、引退後の選手のマネジメント会社というように、周辺にも関わりのある仕事は多数存在する。

一方で、「最初からこんな仕事をしたい！」というような明確な目標がなくても安心してほしい。付き合いはじめはわからないが、徐々に魅力だと感じる点が出てくるように、仕事のおもしろみを最初から知っている人は少ないはずだ。

まずは今やっている仕事をもっといろんな方向から見て、理解すると、後からジワジワとおもしろみや楽しさを感じることができるはずだ。

25歳からのルール

79

食わず嫌いはやめる！

あなたには趣味はあるだろうか？

趣味というと、ありきたりだから違う言い方をすると、**没頭できるもの、夢中に取り組めるもの**、と言い換えてみるとどうだろう？

そう言われると1つや2つ、時間を忘れて没頭できたり、ワクワクしたり、自然体になって取り組めるものはあるのではないだろうか。それを**人と共有する**ことが大切なのだ。

そんな仲間と時間を共にすると、いろんな知識やノウハウを共有することにもなり、1つの遊びのはずが、さまざまな視点から遊びを深めるきっかけになる。

またそんなコミュニティでは、1つの遊びを極めるだけではなく、複数の趣味を持っているなど、遊びに対して「凝り性」とか「欲張り」な傾向の人が多い気がする。なので、また違う趣味や遊びに触れることもできる。

一方で何に対して没頭すればいいのか、何を趣味にすればいいのかがわからないという人もいるだろう。そういうものがないならば、明確に趣味を持っている、**夢中で取り組める何かをやっている人と時間を共有すればいい**のだ。

僕の友人のAくんの話だ。彼の上司のBさんは休みになると毎週ツーリングに出かけるほどのバイク好き。Bさんに誘われて1度行ったツーリングでそのおもしろさや快感に目覚め、ついに先日、自分のバイクを買ってしまった。

僕も小学2年生のときにサッカーを始めたのは、友人の誘いで、あるクラブチームに所属することになったのがきっかけだった。その友人は途中でサッカーを辞めたが、僕はその後もどんどんのめり込んでいった。

「**食わず嫌い」は自分の可能性を狭めてしまっている**ことに早く気付こう。

僕たち1人1人には隠れた可能性がたくさんある。その可能性に気付かない限り、チャンスは広がらない。

自分はひょっとすると、こんな可能性もあるのかもしれない。そう自分に対してワクワクしてみよう。そんなときこそが、意外な一面に気付くときだ。

25歳からのルール
80

ホンモノを観る！

どこを歩いていてもイヤホンをしている人が見受けられるように、i-podなどのミュージックプレイヤーについては高い普及率を誇っている。

自宅に帰れば、あなたの家にもCDコンポやプレイヤーがあることだろう。

CDやダウンロードサービスで簡単に手に入れることのできる音楽だが、楽曲の作成には「加工」が施されていることをご存じだろうか。

そのアーティストの良さを最大限高めるために、録音した後に音の高低や速さなどをコントロールしたり、エフェクト（効果）を入れることで、より明瞭に声を引き立たせることをする。

アーティストによっては、一切いじらなくていい人もいるそうだが、逆に9割がたいじっているという人もいるくらいだ。

そうすると、あなたがいつも聴いているのは、「お化粧した後の最高のもの」だということになる。

しかし、別の意味で最高のものを聴くチャンスが存在する。

それはライヴに行くことだ。

ライヴは、ＣＤでは表現できない空気感がある。

というのも、会場全体でそのアーティストを感じようという一体感やライブでしか見ることのできないテクニックやしぐさなどのリアルな一面を垣間見ることは音楽プレーヤーの世界では不可能だ。そこで感じた「熱」こそがホンモノのルーツだといえる。

「ホンモノ」と「ホンモノに近い」は大きな差がある。

特にＩＴの普及によってバーチャルな環境でもある程度の満足は得られるようになってきたが、やはりホンモノにはホンモノたる所以がある。

25歳を超えたからこそ、**バーチャルなものではなく、リアルなものから、本当の価値を見出せるような目を持っておきたい。**

25歳からのルール

81

ONとOFFの区別をしない！

講演などで全国を飛びまわっていると、どこに行っても必ず質問されるのが、「吉山さんは休みを取られているのですか？」ということだ。

断言するが、休みはしっかりとっている。

僕も新入社員の頃、「休みはどの程度あるのだろう」などと心配したものだが、**休みも仕事も線引きした時点で両立は難しくなる**、というのが個人的な意見だ。

たとえば、スケジュール帳をプライベート用と仕事用に分けて書いている人がいる。でも、自分しか見ないものなのだから、あちこちに予定を書いて、あえて管理を複雑にする必要はない。僕の場合、1冊の手帳に企業研修や原稿作成といった仕事の予定もびっしり入れるし、その一方で映画に行くとか、旅行先の1日のスケジュールなど、休日の予定も、その手帳にまとめている。

仕事はプライベートに影響するし、その逆もそうだ。

たとえば、パソコンや携帯電話を気にすることなく、1日のんびり読書でもしている「OFFモード」なときこそ、新たな仕事のアイデアが生まれるものだ。しかも、こういうジャストアイデア、思いつきが功を奏するケースが多い。いつもデスクに向かって真剣に考えていることがアホらしくなる。

だから、**仕事は平日、遊びはプライベートでするもの、という固定概念を脱ぎ捨てる**ことが肝心だ。

また、仕事において、共通の趣味を持っている同志に会うと、つながりはより強固なものとなる。イメージしやすいのがゴルフ仲間だ。休日に取引先と会うことを仕事と捉える人もいるかもしれないが、プライベートとも解釈できる。要するに線引きしないのだ。

これは釣りだろうが音楽だろうが、車だろうがプラモデルだろうが、何でもいい。人が共通の話題を持ち、真剣に遊ぶ。その後はそんなパワーを仕事にもぶつけよう、一緒におもしろいことをやろう、というのが自然な流れだ。

仕事もプライベートも充実すると、人生が充実する。人生を充実させたければ、両方を**線引きせず、一緒くたにして心から楽しむ**ことが一番のベースになるのではないだろうか。

25歳からのルール

82

遊びは力だ!

遊ぶことにもパワーが必要だ。

というのも、20代前半の頃、僕はとにかく仕事をしまくっていた。土日問わず、夏休みもとらず、誰に言われたわけでもなく、自分の意志で仕事に没頭していた。毎日職場に行く前にコンビニに寄り、帰りに軽くメンバーでゴハンに行く。遅くなることもしばしばあったので、家に帰ってからカンタンに食事を済ませることも多かった。

こんな毎日を過ごしていると、**「遊び力《りょく》」はどんどんなくなっていく。**

というのも、遊びに出ないために、周囲の友人など、定期的に遊ぶ仲間から遠ざかってしまう。また、いつ行っても誰かしら知人がいるような「たまり場」的な馴染みのお店も少なくなり、結果として自分が遊ぶフィールドを失ってしまうことになるのだ。

一方で仕事に没頭していると、お金だけは貯まってくる。「遊び力」の要素には、経済的な余裕も含まれる。

ある一定額までお金が貯まったとき、なんでこんなに貯まったんだろうと客観的に自分を見る機会があった。そこで自分の犯している重大なミスに気が付いた。**「何のために毎日こんな忙しくしていたのだろう。」**と。

いくらお金があっても使えないとか、使途が不明なのはあまりにも寂しい気がする。

将来の不安のため、というのも大切だが、**今を謳歌せずに将来は楽しめない**。

仕事のことや心配事をパッと忘れて、没頭できる何かがあるか？　自分に問いかけてみよう。そのために必要なものは友人なのか、経済力なのか、設備や環境なのかと。

必要なものが明確になれば、それを手に入れるべく、仕事にホンキになることができる。

「欲しがりません、勝つまでは」だ。

そして、**オタクになろう。**

オタクという言葉にマイナスな印象を持つ人は多いが、何かを究めることはすばらしい。

そんな遊びが1つでもあることで、誰もがキラキラ、イキイキとするはずなのだから。

そんな自分を追い求めると、今日もなんだか頑張れる気がする。

第９章

お金の使い方・貯め方ルール

25歳からのルール
83
死ぬまでにいくら必要なのか？を考える！

25歳を迎え、およそ人生の3分の1にたどり着いた今だからこそ、これからの人生設計を考える節目に来たといえる。

「愛があれば、夢さえあれば」ということも大切だが、食べていこうと思うと、リアルな話だが、お金のことは切っても切り離せない。だから、真剣に考えてほしい。

これからの人生において、いくら必要なのか？

「来年だってどうなっているかわからないというのに、10年、20年先、いや50年先なんて、全く想像を絶する世界だ」という人もいるだろう。

しかし、あなたが生きていく限り、お金はかかる。

ここでは人生のメインイベントを中心に、主だって必要な出費を考えてみようと思う。

20代後半に差し掛かり、人生のパートナーを見つけたという人もいれば、今まさに婚活まった中、という人もいるだろう。

２００8年の平均初婚年齢が夫３０・２歳、妻２８・５歳。まさに今から備えが必要なことがわかる。

結婚にはざっと５００万円は必要といわれているが、この数字を見た時点で、結婚は別に……と消極的になる人も多い。事実、世間の晩婚化が数字として裏づけている。

さらに、結婚すれば、子供のことだって考えるようになる。成長と共に、学校へ通わせ、塾にも行く。お小遣いや食費を考えると、莫大な金額になることが概算できるだろう。

さらには住まいだ。マイホームを夢見る人は少なくなっているというが、賃貸にしろ、一生涯で見れば、相当な額になる。

支出のことばかりを列挙したが、一方で収入はどうだろう。

支出を削るか、収入を上げるか。手元に現金を残すには2通りしかない。

死ぬまでにいくら必要なのかわかれば、いくら稼がなくてはならないのかが見えてくる。

誰にでも起こりえることだが、意外と時間をかけて考えることをしない人が多いようだ。

僕も20代前半まではそうだった。

不安な時代だからこそ、足元を見て、着実にできることから固めていこう。

25歳からのルール
84

感覚ではなく実数を把握する！

20代前半の僕は、本当に無計画というか、感覚的にお金を使っていた。スーツや靴が欲しいし、友人と食事にも行きたい。CDや本も購入したいし、携帯やネットなどは好きなだけ使おう……というように、**使途は明確だが、特に「管理する」という概念がなかった。**

なので、貯金に関しても特に目標を定めることもしていなかった。

ただ、上場企業からベンチャーに転進したときが、改めて考え直す機会になった。ベンチャーで働くということは、大企業とは福利厚生といった制度面でも劣る部分は大きく、自己防衛しないことには、どうしようもない。

ここで自分は今後どのような人生を歩んでいきたいのか？を考えるきっかけになった。

「この際だから今の家計を見直すこともやってみよう」と、一度支出や収入を棚卸してまとめてみたのだ。

するとと、当時独身だった僕は、外食比率と趣味や衣料品にかけるコストが大きく、家計を圧迫していたことがわかった。それで残業後の同僚との居酒屋での飲みを減らして自炊を増やしたり、勧められるがままに加入していた保険の見直しなどをしてみた。そうした結果、翌月から手残りが増えたのだ。

「なぜか、知らない間に銀行口座からお金が消えている」という人はまず、自分の支出の棚卸しをしてほしい。

自分の体重を数字で明確に把握することで、ダイエットの目標数字がはっきりする。それと同じで、お金も、「いつまでにいくら貯めよう」とか、「今月の食費はいくら以内」という明確な指針を持つために、まずは1度でいいから**全体像をはっきりさせてほしい**。

その後、毎月のように家計簿をつけよう、といっても、まず継続しないだろう。

ならば、**自分が管理すべき重要指標だけを集中管理すればいい**のだ。

ある人は家賃、ある人は外食費と、それぞれの趣味嗜好によって異なる重要指標を見ておけばいい。

25歳からのルール
85

あえて大金をはたく！

「これからの人生、とにかくお金がかかるぞ！」

「無駄な支出を管理せよ！」

と、脅し文句に聞こえる話を前述したが、僕は、**使うところには使うべきだ**と思う。

というのも、**20代は自己投資の時期だ**と考えるからだ。

結婚したり、子供が生まれたり、マイホームを購入したりすると、制約が増えてしまう。

先日もよく行くバーのマスターと、「最近Aさん、全然来てないですねぇ」なんて話していると、「あ、Aさん、最近ご結婚されてお子さんが生まれて、なかなか動けないみたいです。」という返事だった（Aさんは20代の頃は相当破天荒な遊び方をしていた人なのだ）。

「檻の中のライオン」状態になった瞬間、お金の使い道は限られてくるし、その分、行動範囲もそれに伴う経験も制約がかかるのだ。

だから、まず**使える原資があるのなら、自己投資として思い切った使い方をすればいい。**

ここで注意したいのは、**選択と集中**だ。

のんべんだらりと浪費することを勧めているのではない。

たとえば、あえて一流のラグジュアリーホテルに泊まってみたり、三ツ星レストランで食事をしてみたり、グリーン車やビジネスクラスで移動してみることだ。一流の人はどのような景色を見、どのような環境で時間を過ごしてるのかを見ることができる。

なんでみんながいいというのかを自分の目で見て、自分の舌で確かめることで、今後どのような30代、40代を目指そうかというベンチマークをする際の参考になる。WEBや他人の評判からも情報は収集できるが、人間は知らないと語ることも伝えることもできない。

ほかにも、あえて使ってほしい。

ビジネススクールに通うために大金をつぎ込み、キャリアアップに努めてみたり、一生モノの万年筆を購入し、仕事を頑張る上での糧にするのもいいだろう。

お金は誰かが使わないとサイクルしない。自分が使った分、また働いて自分にリターンさせればいい、というくらいに考えておくことが肝心だ。

「とにかく貯金しておく」といった、保守的なお金の使い方には、逆にリターンもない。

25歳からのルール
86

給与明細をじっくり見る！

毎月楽しみな給料日。銀行ＡＴＭにはズラリと長い行列を目にするものだが、通帳に記帳された額だけを見て、納得していないだろうか？

どうしても、毎月のやりくりのことを考えると、手取り額が最も気になるところだが、**給料で大切なのは手取り額だけではない。**

なぜ自分が働いた対価として与えられる給与が引かれているのか？をちゃんと考えたことがあるだろうか？

僕も無頓着な時代があった。給与明細を見ても、社会保険料や税金と総称されることの多い各項目（所得税・住民税、健康保険料、厚生年金保険料、雇用保険料等）を細かく見ることはなかった。なぜこんな額になるのだろうか？とさえ考えることはなかった。国が決めたものなんだから、こんなもんだろう、というような安易な考えだ。

しかし上場企業からベンチャーへ転進する際に、1つ1つを検証せざるを得なくなった。というのも、今までは会社任せで自動的に引き落としや手続きがなされていたが、ベンチャーともなると、会社で給与天引きする制度をイチからつくる必要もあったし、制度が確立するまでは、個人的に住民税や健康保険料を支払わざるを得なかったためだ。

給与天引きされていると、不思議と意識が薄れていくもので、引かれてあたりまえになる。ただ、それは自分の労働対価だとシビアに考えていくと、なぜこの算定額になるのか、これらの保険料の使途はどこに流れてどう使われているのか、気になってくる。それはもっと大きなレベルで国の社会保障制度などのあり方に疑問を呈することにもなる。

銀行振り込みができるようになり、ＩＴによる手続きの簡素化によって、このような数字とにらめっこをする場面が減っているのも事実だ。生命保険や医療保険料、携帯電話料金、水道ガス電気といった光熱費など、**あらゆるコストのカラクリに興味を持つ**ことで、**自分の生活や仕事について、さらには社会についても自分なりの意見を持つことができる。**

上から与えられたものに納得している場合ではなく、僕たちは僕たちの意見や考えを持つことが求められている。

25歳からのルール

87

「今まで」より「今から」！

「飲みがいつもより多くて、使いすぎた……」

「先月はバーゲンもあったのでカードの支払いが……」

と、後悔先に立たずということは誰にでもあるものだ。

しかし、お金に関しては、使ったものは返ってくるわけではなく、後悔してもどうしようもない。**これからどうするか？を考える**ことが肝心だ。

会社でいう「資金繰り」が回らなくなると、経営は破綻してしまう。個人においても返済できなくなると、破綻せざるを得ない。なので、過去のコストをどうするか？よりも、**今からコツコツできることを考えるべき**なのだ。わかっちゃいるけど何も変わらないという人は**「チリは積もってもチリ」という意識をまずは変える**ことが肝心だ。

業績と連動してボーナス算定する企業が多い中、今の時代は、ボーナス額も目減りしているのが現状だ。また、残業も抑制する企業が増え、今までついていた時間外手当が全くつかなくなった、という人も多いのではないだろうか。

こんな中、「今までの使い方」を継続していては、宝くじが当たるようなことがない限り手持ち資金が増えることは、まずない。となると、今までの使い方を見直す必要があるのだが、過去の使い方というより、この出費が積もり積もって、どうなるか？と、**将来を先読みしたコスト意識**を持ってみることをオススメする。

僕も東京に出てきたころ、会社の社宅の関係もあり、郊外に暮らしていたことがあった。しかし、付き合いや残業で深夜タクシーで帰宅することを考えれば、家賃は高くなっても、もう少し都心部に住んだほうが、結果的に安くつく、と考え、都心部に引っ越した。

短期的に見れば、引越費用や物件の敷金礼金など、かなりの費用がかかったが、中長期的に見れば、コスト面でも元は取れるし、身体の疲労やメンタル面での安堵感は大きなものがあった。

現状維持することは、余計な手続きや面倒くさいダンドリがなく、ラクだ。

しかし、中長期的に見ると、**放置していた分だけ、ツケが回ってくる**ことになる。

そう考えると、今からでもできることは、いくらでもある。

25歳からのルール
88

20代のうちは家を買わない!

人生において主だったお金の話といえば、結婚の次に来るのが住まいの話だ。

男ならマイホームが夢!という人は、バブルがはじけてからは減少傾向だという。さらに、毎月の給与を見て、こんなもので家が買えるのやら、というリアルな疑問も浮かんでくることも事実だ。

僕は28歳のときに結婚したが、やはり新居については、賃貸で行くべきか分譲にすべきか、真剣に考えた。自分の父親がマイホームを購入したのが、30代前半。僕の場合はゼロからスタートしている父親の努力はいつも自分に重ね合わせることが多く、自分もいずれは持ち家を、と思っていた。

しかし、分譲はある意味結婚と同じ。その物件と継続的にお付き合いをしていく必要がある。自分が住んだ後に誰かに貸すにしろ、分譲は購入時点の資産価値が最大で、あとは年をとるかの如く、年々目減りしていく。そこまで大きなリターンが期待できるかという疑問が残った。

また、前述したように、ローンに縛られることは自由な行動を制限することにもなりかねない。独立しよう！と思ってもローンのことが頭に浮かび、キャリア形成の上で必要な地方や海外への転勤も「マイホームを放置しては出て行けない」という理由からチャンスを棒にふってしまうこともあるかもしれない、と考えた。

ローンの組み方や固定資産税などの変動にもよるだろうが、人生全体で考えた場合、賃貸も分譲も支払い総額にはさほど大きな差はないといわれる。最後に異なるのは、資産として老朽化した物件が残るか残らないかというくらいのものだ。

となると、20代のうちは賃貸で過ごし、同棲、転勤、結婚、出産などの**ライフイベントにフレキシブルに対応できるようにしておいたほうがベター**ではないだろうか。

一方でローンを組み、自分に制約を加えることで、もっと頑張れる、という人もいるが、柔軟性は失われる。

もちろん、個人の価値観によるところが大きいため、答えはないが、自分のライフスタイルや住まいに求めるものを一度考え直すきっかけを作ってみてはどうだろうか。

25歳からのルール
89

学びにも時間対効果・費用対効果！

人生には常に学びがある。

僕は強く思う。人から学ぶこともたくさんあるし、自分の失敗や経験から学ぶことも多い。もちろん勉強や学習による学びもたくさんある。

しかし、学びには時間も労力も、お金もかかる。

たとえば、先輩経営者とのネットワークで会合にお邪魔すると、その会合のための時間の確保はもちろん、会費もかかる。講演会などが催されるものなら、少しばかり参加費が高額になることもしばしばだ。

しかし、**その場で何かを学びとって帰ろうという強い意識がある**からこそ、それらの投資は苦にならないし、毎回、もとを取って帰ってきている（つもりだ）。

ただ単に誘われたから、ふら〜っとお邪魔しているようでは、その場における学びの効果は半減するだろう。

これは勉強・学習においてもそうだ。

不景気といわれるようになってから、とにかく資格試験だ、とやみくもに資格を取得しようとする人が多い。しかし、なぜその資格なのか、その資格に投資した時間やコストはどのような形で自分にリターンしてくるのか、といった効果を見ておかないと、結果として試験に通るだけの知識がついただけで終わってしまう。それでは、本当の意味での活用につなげることはできないだろう。

25歳を越えた僕たちはただやみくもに物事を進めるのではなく、**時間対効果・投資対効果を意識しておきたい**。この勉強会に出席したことでどのような効果を生み出すことができるか。この書籍を読んだことで、自分の業務にどの程度活用できるか。**積極的に自分への投影を図ることで投資した時間や労力を回収することができるようになる。**

ただ漫然と時間を過ごしたり、後先のことを考えずに投資することはそろそろやめよう。

あなたがかけた時間の分だけ、あなたがかけたお金の分だけ、必ず肉となり血となるはずだ。燃費のよいハイブリッドカーが普及するように、これからは僕たち自身も燃費よく、効率よく生きていくことを考えてみよう。

25歳からのルール
90
僕らにできることはまだまだある！

25歳を越えた僕らは、まだ人生の3分の1程度しか生きてきていない。

だからこそ、「どうにかなる」「今を楽しむ」という楽観的な考え方もできるのだが、一方で、**今から危機感を持っておくと、ラクに最期を迎えられる**のではないだろうか。なかなか自分の老後や死を考える機会はないからこそ、みんなで向き合っておきたい。

定年退職してからの60歳無職世帯の平均支出は、月々約25万円と言われている。

国の社会保険制度のニュースを見て、もうアテにできない！という人もいるだろう。しかし70歳、80歳と残りの人生を生きるには、まだまだお金が必要になってくる。月25万円の支出でも、年で300万円、それが10年続くと3000万円、必要になる。

3000万円を純粋に手持ち資金として貯金しようとした場合、月々5万円貯蓄したとしても50年かかる。いい年になって「あの頃は贅沢もできた」とか「あの頃はもっと稼ぎがあったのに…」というふうに思い出を振り返っても、生きている限りお金はかかる。

このことに気付いたら、まず何をするか。

まず手っ取り早いのは、**仕事を頑張ること**ではないだろうか。

年功序列がなくなったとは言え、サラリーマンであれば、だいたい年次が上がると共に昇給がある。この決まったキャリアパスを逃さないためにも、最低限のことは着実にこなしていきたい。また、ただ単純に決められたキャリアを歩むのではなく、転職という別のキャリアをつかみにいくことだって、若いからこそできる。僕もベンチャーの道を歩んでいるのはそういう理由も大きい。自分でやったほうがリスクは大きいが、その分リターンも大きい。**たとえ失敗したとしても、僕らの世代なら後からリカバリーもきくはずだ。**

投資についても同じだ。前述したとおり、**選択と集中で、かけるべきところにお金をかけ、元をとるべく努力すればよい。**20代前半では投資するところまでの余裕もないだろうし、もっと歳をとってしまうと、チャレンジングな投資もできなくなる。これも25歳を越えた僕らだからこそできることだ。

25歳を越えた今だからこそ、より現実的な数字やデータを見て、今からできることを始めよう。あのとき気付いてよかった、と思えるように。

第10章

本当に大切にしたい人々に

25歳からのルール

91

愛を語ることをクサいと言わない！

「愛だの恋だの、そんなもんは、こっ恥ずかしくて話にならねー！」とか、「そんなことを期待して、この本を買ったわけじゃない！」と嘲笑する人もいるかもしれない。

でも、せっかくだから、書かせてもらいたい。

ちょうど、僕たちが小学生から高校生くらいの頃、パソコンが急速に普及し、携帯電話も先を争って新しい技術を採り入れ、生活の中にＩＴがどんどん浸透していった。

買い物から恋人探しまで、なんでもかんでもインターネット上で可能となり、大人になった今や、それらがなくては仕事にならない状況になってしまった。

もちろん、ＩＴ化によって相当生活は便利になった。僕自身もこのような文書を手書きで書いていては、時間も労力も10倍以上はかかるだろう。

その一方で、デスクを隣り合わせていても、メールやチャットを使って会話をする人がいる。本来ならば直接会って話をすべきことを、メール一本で済ませたつもりになっている人も多い。

そこには、「感情」や「熱（Passion）」がない。非常に無機質でドライだ。

ITを非難しているわけではないが、このような弊害が起こっているのも事実だ。

さらに隣人の顔を知らないとか、地域の結びつきが弱まっている時代、命の尊さを忘れた時代といわれる。

そんな「何かを忘れた時代」だからこそ、「愛って何？」という話をしないといけない気がして、仕方ない。

自分の要件さえ伝えることができれば、それで終わりなのか。

自分の主張さえ通れば、それでいいのか。

この時代を生きていくためには、そうなることも理解できなくないが、僕がNPO法人でボランティア活動をはじめた理由も、多かれ少なかれ、こんな時代背景に後押しされた部分はある。

「キレイごと」という一言で放置してしまうのはあまりにも乱暴だ。

愛を語ることは真剣に生きている証拠。たまには酒の力も借りて、堂々と愛を語ろう。

25歳からのルール
92
守るべきものは持ったもん勝ち！

僕は、前職から独立をしたタイミングとほぼ同時に、結婚した。

お互いの両親が心配するだろうと思い、事前説明までしたものだが、会社経営も妻との生活も、無事にやって来られている。

独立する間際は、本当に大丈夫か？と不安が大きかったものだ。

しかし周囲の先輩経営者に相談してみると、お世話になっている会計士の方も独立と同時に結婚したとか、ある上場企業で顧問をしている先輩も独立した年に結婚した、というように同じ境遇の人がゴロゴロ存在していることに驚かされた。

みなさん共通して言っているのが、「独立したから結婚したわけでも、その逆でもないけれど、**何かを守ることへの意識は大きくなったことは間違いない**」ということだ。

僕の両親は、20代前半で僕を産み、育ててくれた。

当時、父親は昼も夜も寝ずに働いてくれていたそうだ。20代前半という遊び盛りの時期に、守るべきものを必死で守ってくれたのだ、と家庭を持った今だからこそ、感謝の気持ちがこみ上げてくる。

そういった親を見ていた分、僕も早く結婚して、子供が欲しいと思っていた。その反面、晩婚化の傾向の通り、まだまだ自由に独身生活を謳歌したほうが時間も経済的にも余裕があるものだ、と決め付けていた部分もあり、多少の葛藤があったことは間違いない。

しかし、何のために仕事をしているのか、この先、どんな人生になるのか？と改めて考えてみると、結婚し、子供が欲しいと素直に思えた。だったら、そのために着々とやるべきことをこなしていこう。さまざまなライフスタイルの中でありきたりと言われるかもしれないが、そう思えた。

夢を持てない世代と揶揄される僕たちの世代だが、**守るべきものを持ったほうが、これからの人生の行き先が、よりハッキリする**ことだってあると思う。

人生の目的を見つけるために結婚するわけではない。

でも、**自分の生きている意味がより色濃く理解でき、いろんな可能性を広げるきっかけとなる出来事だ**ということはお伝えしておきたい。

25歳からのルール
93

「ありがとう」の言葉を有り難くしない！

僕が結婚するにあたり、多数の先輩夫婦に「夫婦円満の秘訣は？」という質問をしたところ、いろいろとアドバイスをいただいた。共通の趣味を持つことだったり、コミュニケーションを毎朝毎晩取ることだったり、週1回必ず外食に行くことだったり……

僕の中で一番しっくりきているのが、**「ありがとう」を毎日言い合える関係であること**、だ。

「ありがとう。」

誰かに言われてイヤな気になる人は少ないだろう。

本当に魔法のかかった言葉、重みを感じる言葉だと思う。

漢字で書くと語源もわかりやすい。もともとは「有り難う」から来ている言葉だ。すなわち、その事象が「有る」ことが「難しい」ときを表現する言葉なのだ。

「生まれてきてくれてありがとう。」

友人など大切な人の誕生日パーティなどにお呼ばれすると、必ずといっていいほど発する言葉だ。その人が生命を授かり、生まれてくるだけでも大変なのに、今この場所で共に誕生日をお祝いできるなんて、まさに「有り難い」ことだ。

しかし、「ありがとう」という言葉は、そんなわずかの可能性の話のときだけに使うものではない。基本的なコミュニケーション、挨拶として物心ついた頃から教えられるものだ。

だからこそ、あなたの中で、あまりにも当然のことになりすぎて、「ありがとう」という言葉を発することが「有り難い」ことになっていないだろうか。

あたりまえのことがあたりまえに進行することがいかに「有り難い」ことなのか。これを理解することで、「ありがとう」という言葉の重みに気付く。

家族が生きていることはあたりまえだが、明日食べるものがないとか、今月の家賃が払えないという状況では、生きていることはあたりまえにならない。あまりにも平和であまりにも満たされていると、「ありがとう」という感覚が麻痺してくるのだ。

幸せに暮らせることは当然ではなく、有り難いことだ。

だからこそ、今日も大切な人が生きていることに「ありがとう」を伝えよう。

25歳からのルール

94

親孝行に大小こだわらない！

ある企業の人事の方にお伺いした話だが、「初任給をもらったら何をしますか？」という質問に対して、親孝行！と答える学生が最近は多いそうだ。

しかし、極貧の学生時代に比べ、初任給をもらった嬉しさは半端ない。まずはパーっと自分のために使ってしまったり、やらなきゃという思いばかりが先行する一方、なかなか財布の余裕がなく、親孝行と呼べることは1つもできていないという人もいるだろう。

僕もそうだった。「旅行をプレゼントする」とか、「いつか高級フレンチのコースに連れていってやろう」というように、自分の中での構想を広げるあまり、もっと身近にできることを見失っていた。

たとえば、あなたは家族の誕生日を覚えているだろうか？

僕の場合、家族や親類のほとんどが関西に住んでいて自分は東京なので、日頃から細かな贈り物ができないので、誕生日には必ず手紙と共にプレゼントを贈ることにしている。

ほかにも父の日、母の日、敬老の日、両親の結婚記念日など、親に気持ちを伝えるチャンスはたくさんある。

そのチャンスをどう活かすかはあなた次第。最悪、贈り物がなくても、手紙だけでもいい。その**気持ちを両親は受け取ってくれるし、そうやってつながっていることが大切なのだ。**

何をもって親孝行したことになるのか、という定義なんてない。

自分が今できることをできる範囲でやればいいのだ。特に親元を離れて住まいを構えることが多くなった今や、実家が遠かろうが、日々の仕事が忙しかろうが、たまに電話をかけることでもいいのではないか。これなら誰でも、今すぐにできるはずだ。

「親のありがたみは親になってから初めて気付く」というが、25歳を越えた僕たちも、いずれ親になっていく。どうせ感謝の気持ちを伝えるなら、どうせ親孝行したいと思っているなら、大小問わず、良いと思ったことは今からやっていこう。

親もあなたに毎日少しずつ愛情を注いできたように、あなたも親に感謝の気持ちを少しずつ伝える番が来ただけなのだから。

25歳からのルール

95

もらい泣きしよう！

最近、あなたはいつ泣いただろう？

実は僕は映画やドラマを見ても、すぐに泣いてしまう涙もろい性格で、ホント、情けないヤツだと笑われるくらいなのだが（笑）、リアルに何かを見て泣ける機会が少なくなってきた。しかし、先日、久しぶりに泣いた。

ある知人の結婚式だった。

お父さんがお亡くなりになった後、女手ひとつで大切に育ててくれたお母さんに対して、娘である奥さんが手紙を読んだ。忙しくしてきたお父さんが急に病床に伏したエピソードにはじまり、辛い闘病生活を家族で支え抜き、最期を看取った後にお嫁に行くことになった私、という話に参加者全員が引き込まれ、最終的にはほぼ全員が泣いていた。

僕はこの話を聞いて、奥さんや御家族の御心境をお察しすると共に、幸せに今日の日を迎えられてよかったという気持ちでいっぱいになった。

また、不思議なもので、帰りのタクシーの中で、自宅に電話をかけていた。

そこで僕は「まだまだ若いという意識でいたが、もう年寄りになってくるんだから無理しないように」と、両親に改めて伝えていた。完全に感情移入され、自分の親のことを考えてしまっていた。


僕たちの年代は、感情を表現する機会が少ないとか、喜怒哀楽のない若者達と言われる。でも、それはひょっとすると**自己投影や感情移入が下手で、結果として当事者意識を持てていない**からではないだろうか。

大学生の娘さんを持つ知人が言っていた。「こないだテレビで大学生の誘拐事件があったとき、地方に住んでいる娘に即座に電話してしまった。」他人の事ではなく、自分自身にその危機の可能性があるからこそ、このような感情移入をし、心配するわけだ。

平和な世の中になりすぎたのだろうか。

自分の身や、自分の大切な人にそれがふりかかってきたら、という「もしも?」という意識を持つことで、大切な人をさらに大切にできるのではないだろうか。

25歳からのルール
96

家族との予定を先に立てる!

僕は毎年9月になると、翌年の手帳を購入するようにしている。

それは、来年の仕事の見通しを立てるためでもあるが、**まずはオフの日程を確保するため**でもある。

来年のゴールデンウィークはうまくとれば11連休になるとか、盆と正月休みが短くなりそうだ、といった見通しを立て、オフシーズンに家族とどのような予定を過ごすのか?を決めてしまうのだ。

僕の場合、自分の両親と妻の両親共に、年に数回しか会えないため、まずはそれらの予定を重視して立てるようにしている。ほかにも友人との毎年恒例行事や知人の結婚式など、あらかじめオフの日程からブロックしていくようにしている。

そんな先のことは全くわからない、と考える人もいるだろう。

だが、**仕事に翻弄されていて本当に良いのか**、と振り返ってみてほしい。

翻弄される自分が好きな人は、永遠に翻弄され続ける。

何のために仕事をしているのか？を考えれば、仕事の予定を優先すべきなのか、家族やプライベートの予定を優先すべきなのかは一目瞭然だろう。

仕事ありきで目の前の予定を埋めていく、「その場しのぎ型」のスケジューリングをする人が多いが、半年以上の予定を先読みし、あらかじめブロックしてしまい、周囲に公言することで、急な用件が入ってくることを予防することもできるはずだ。

彼女の誕生日のためのサプライズ企画や家族旅行も、とにかく早めのスケジューリングを図ることで、お店やホテルなども楽に予約できるし、早割のような特典を受けることも可能になる。また早め早めの段取りが可能になればなるほど、緻密な計画を立て、行き当たりバッタリということも少なくなる。

そうなれば、ストレスなく物事を進めることが可能となるはずだ。

忙しい僕たちには少々難易度が高いと思いがちだが、難しいと思ってやらなければ、ここで可能性は1%もなくなる。

ダメもとでいいじゃない。結果、実現すれば絶対に自分が一番幸せな気分になれるから。

25歳からのルール
97

大切な人の前ではエエカッコしない！

僕は間違いなく「エエカッコしぃ」だ。断言する。

やっぱり男ならモテたいし、カッコよくいたい。関西人独特の見栄っ張りなところもあると思う。だけど、やっぱりビシっとしたスーツを着れば、気持ちもシャンとするし、さっぱり美容院でカットをしたら、気持ちもスッキリするし、エエカッコをしていることによって明日の仕事への活力になる。

友人のあるアーティストが言っていた。

「エエカッコしぃだからこそ、最高のパフォーマンスができる。カッコつけずにやっても気持ちがついてこない。」

本当に同感だった。これは女性が永遠に美を追求するようなもので、化粧をすれば気持ちに張りが出るというのと同じ効果をもたらしているのかもしれない。

ただ、自宅でもエエカッコをすることは自分の魅力を維持するためにも大切なことだが、僕は**家族や恋人の前でエエカッコを「し続ける」必要はない**と思う。

家族や恋人の前で本当に、あるがままの姿、リラックスした姿でいるのか？　自分に問いかけてみて欲しい。

先日結婚した、ある友人夫婦の話だ。独身時代からずっと、朝起きるといつも奥さんはバッチリメイクでほとんどスッピンを見せなかったそうだ。しかし結婚後のあるとき、旦那さんから「もうメイクしなくていいんじゃない？」と、手を差し伸べた結果、奥さんから、「独身時代からスッピンをほとんど見せたことがなくて、どのタイミングで肩の力を抜けばよいのかわからなくなっていた。ありがとう」といった言葉をもらったそうだ。

このように、いつもエエカッコしぃだと、タイミングを逃してしまい、結果、窮屈な状態を継続することになり、自分の首を絞めてしまうことになる。

弱いところを開示し、あるがままの状態で甘えられる環境にいたほうが、ハッキリ言ってラクだ。

内弁慶でいよう、と言っているのではない。**せっかくホッとできる場所があるのなら、無駄に力を入れず、リラックスできる環境を作ってあげよう。自分のために。**

25歳からのルール
98

仕事を家庭に持ち込む！

僕が今の業界に入って間もない頃、母親や、当時は彼女だった奥さんも何をやっているのかがイマイチつかめなかったらしい。

コンサルティング業と一言でまとめるのは、あやふやな印象しか与えないため僕自身もあまり好きではない。とはいっても、ものづくりのような形のある仕事ではないため、イメージが湧かなかったらしい。

イメージが湧かないと、何をやっているの？という疑問ばかりで、それを応援してもらうことは難しい。今でこそ、本を出版したりメディアでの露出があったり、多数の講演・研修が開かれるようになったため、完全に理解してくれているが……

あなたの家族は、あなたの仕事を理解しているだろうか。

親元を離れたりするとなおさらだ。社名くらいはわかっていても具体的にどのような仕事をしているのか、どのような役職についているのか、知らないという人も多い。**家族や恋人に仕事内容を理解してもらうことこそ、仕事とプライベートの両立の第一歩だ。**

恋人に「仕事と私、どっちが大切なの？」とにらまれたり、結婚後、「休日出勤と家族、どっちが大切なの？」と詰め寄られたり。

男の言い分としては、仕事あっての家庭だというのはよくわかるが、その前に本当に仕事のことを理解してもらっていれば、このようなトラブルにはならない。

僕自身も、会食やお付き合いで夜が遅くなったり、日本全国を出張で飛び回る仕事だからこそ、家族にも具体的な仕事内容を説明することに時間をかけ、理解を求めた。今後、今の仕事以外に新規事業を始めたとしても、きっちりと説明し、理解を求めるだろう。

家庭に仕事は持ち込むなというが、理解を求めるためには大いに家庭に持ち込むべきだ。「お父さんは今、こんな仕事に打ち込んでいる」とか、「彼女は今、新規プロジェクトを頑張っているようだ」という理解を深めることができれば、お互いにサポートすることだってできる。抱え込まず、理解を求めることが円満な空気を作ってくれるはずだ。

あなたの大切な人なのだから、必ず理解してくれる。

25歳からのルール

99

自分の子どもの代のことを考える!

僕は20代前半の頃からNPO法人に関わっている。

主にやっているのが教育系のNPOで、読み書きそろばんや食育、体力作りのような、教育に関する有効な手法やあらゆる事例をまとめ、全国に波及していくことを主旨として活動している。全国の教員や大学生、保護者や民間企業、さらには多数のオピニオンリーダーの方々まで垣根を越えた組織だ。また、NPOのため、全員がボランティアで参画している。

僕も20代前半で参画を決めたこの団体だが、この活動にはさらに若い、多数の大学生らが草の根運動の機動力になっている。

何が彼らをそうさせるのか?と興味深く、いろんなメンバーに質問を投げかけてみた。

すると、「社会の仕組みを知るため」「教員になるため、現状を把握したいため」「友人に誘われたから」「学生時代に胸を張ってやった何かを見つけたいため」と実にさまざまな意見が出てきたが、一番多かった意見が「**自分たちの子どもの代に、より良い日本であってほしいため**」という意見だった。

これはまさに、僕自身の意見とピタリと一致していた。

僕たちは何不自由なく生きることができた。しかしこれから、この国に生まれる子供たちに対して、本当に不自由ない環境が整えられるだろうか。

財政破綻や社会保障制度の崩壊、低い食物自給率や学校崩壊……、多数の問題が指摘されている。ここで大切なのは、**できることから着実にやっていけばいい**ということだ。

僕は今できることとして、このようなNPOに関わり、ほんの少しかもしれないが、教育問題についての議論ができている。将来のことを考えれば、**ほんとに微々たるものかもしれないが、何もやらないよりはマシ**だ。

政治家や官僚に頼るのではなく、まずは僕たちのような若い力で、将来に何を残すことができるのかを1日1分でもいいから、考え、行動に移すことが今、求められている。

誰かがやってくれる、という他力本願ではいけない。

いずれは自分の子や孫に跳ね返ってくる話なのだから。

25歳からのルール
100

大切な人の幸せを考える！

僕が毎月お邪魔している会合で、都内で関西人を中心とした家族会がある。夫婦どちらかが関西人であればOKというゆるい入会ルールで、たいてい夫婦揃って出席する。業種も職種もさまざまな夫婦、子供が集まっていて毎月刺激をもらっている。

先輩夫婦、後輩夫婦、いろいろいるわけだが、つい先日結婚したというカップルがいて、全員の前で挨拶をしたときのエピソードだ。

挨拶がはじまり、馴れ初めや新居についての話が終わり、シメの一言で、奥さんが「彼のことを幸せにします！」と言ってのけた。

これを受けて一同爆笑。

普通は彼が「彼女のことを幸せにする」と宣言するものだが、彼女が言ってしまった。

しかし、ここで考えてみてほしい。

奥さん側にも旦那さんを幸せにする権利は十分あるのだ。

旦那さんが得てきた所得で生活費をまかなうにせよ、家事を奥さんが務めるのであれば、おいしいお料理が出てきたり、いつもリビングはきれいに掃除されていたり、布団もシーツもいつもまっさらでキレイだったりすると、旦那さんは幸せを感じることだろう。

本来、幸せにするという言葉は男性が宣言するものという固定観念だけで「おかしい」と感じるのは軽率だ。


あなたも、そんな固定概念に振り回されていることはないだろうか。

あなたの大切な人の幸せを、改めて考えてほしい。

このような固定観念によって、本来ならば実現できる幸せを逃していないだろうか。

大好きなものを1品だけどお腹一杯食べることに幸せと感じる人もいれば、そこそこ好きなものを10品出されて少しずつ幸せを積み重ねていったほうがいいという人もいる。

自分の大切な人の幸せってなんだろう。

幸せは人によって違うものだからこそ、どのようにすれば相手が幸せを感じるのか？を
ゼロベースから考えてみてほしい。

■著者紹介

吉山 勇樹（よしやま　ゆうき）

株式会社ハイブリッドコンサルティング　代表取締役

大学時代よりベンチャー企業の創業・運営に参画。

卒業後は大手通信事業会社にて新規事業開発をメインで担当。

MVNOをはじめとするモバイル系ソリューションやCRM戦略策定、新規営業部門の立ち上げなど、各種プロジェクトマネジャーとして活躍。

その後、教育人材コンサルティング会社の取締役、代表取締役を歴任。そして独立。

年間200日を超える企業・団体での研修・講演をはじめ、組織活性・業務改善・プロジェクトコンサルティングのほか、国立大学と共同で社会人基礎力推進事業（経済産業省）を手掛けるなど幅広い活動を展開中。

型にハマらない柔軟なファシリテートに定評があり、数々の大手企業・団体からの経営計画立案や次期経営幹部養成に向けたコンサルテーション事例も多数。

また、テレビ・ラジオ・新聞・雑誌等、多数のメディア出演・執筆活動も精力的に行い、13万部突破の「残業ゼロ!仕事が3倍速くなるダンドリ仕事術」をはじめ、数々のベストセラーをリリース。過去に共著も含め29冊の出版。海外翻訳本も4冊。アジア圏を中心に好調なセールスを記録。

全国TSUTAYA年間人気著者ランキング5位に入るなど、若手ビジネスパーソンのベンチマーク的存在として支持を受けている。

その他、ライフワークとして、小中学生や親子の教育問題に取り組むNPO法人日本教育再興連盟の理事のほか、議員インターンを全国展開するNPO法人ドットジェイピー の顧問委員、奈良をプラットフォームとし、日本の精神性を世界へ発信する奈良オリエンタルフェスティバルの代表としても活動中。

プライベートでは音楽活動を17年以上継続中。

シャンパーニュの普及・啓蒙にも勤しみ、2012年にフランス・シャンパーニュ騎士団（Ordre Des Coteaux De Champagne）シュヴァリエ、2013年にはフランス・サーブルドール騎士団（La Confrerie du Sabre d'Or）サブラーを本国から叙任した。

◆株式会社ハイブリッドコンサルティング
http://hybrid-c.jp/

本書の内容に関するお問い合わせ
明日香出版社　編集部
☎(03)5395-7651

あたりまえだけどなかなかできない　25歳《さい》からのルール

2009年11月 1日　初版発行
2017年 8月15日　第58刷発行

著　者　吉《よし》山《やま》勇《ゆう》樹《き》
発行者　石野栄一

明日香出版社

〒112-0005　東京都文京区水道2-11-5
電話（03）5395-7650（代表）
（03）5395-7654（FAX）
郵便振替00150-6-183481
http://www.asuka-g.co.jp

■スタッフ■　編集　小林勝／久松圭祐／古川創一／藤田知子／田中裕也／生内志穂
営業　渡辺久夫／浜田充弘／奥本達哉／平戸基之／野口優／横尾一樹／関山美保子／藤本さやか　財務　早川朋子

印刷　株式会社文昇堂
製本　根本製本株式会社
ISBN978-4-7569-1332-6　C2036

編集担当　藤田 知子

ISBN978-4-7569-1689-1

やり直し・間違いゼロ 絶対にミスをしない人の仕事のワザ

鈴木 真理子

B6 並製　200 頁　本体価格 1400 円＋税

仕事をしていると、単純ミス、ケアレスミス、人為的ミスなどが多発する。

そのため本当は簡単に短時間で終わる作業も、やり直したり、新たに作業が増えたりして全然仕事がはかどらない。

そうらないようにするための　Tips 集。

ISBN4-7569-0880-2

あたりまえだけどなかなかできない 仕事のルール

浜口　直太

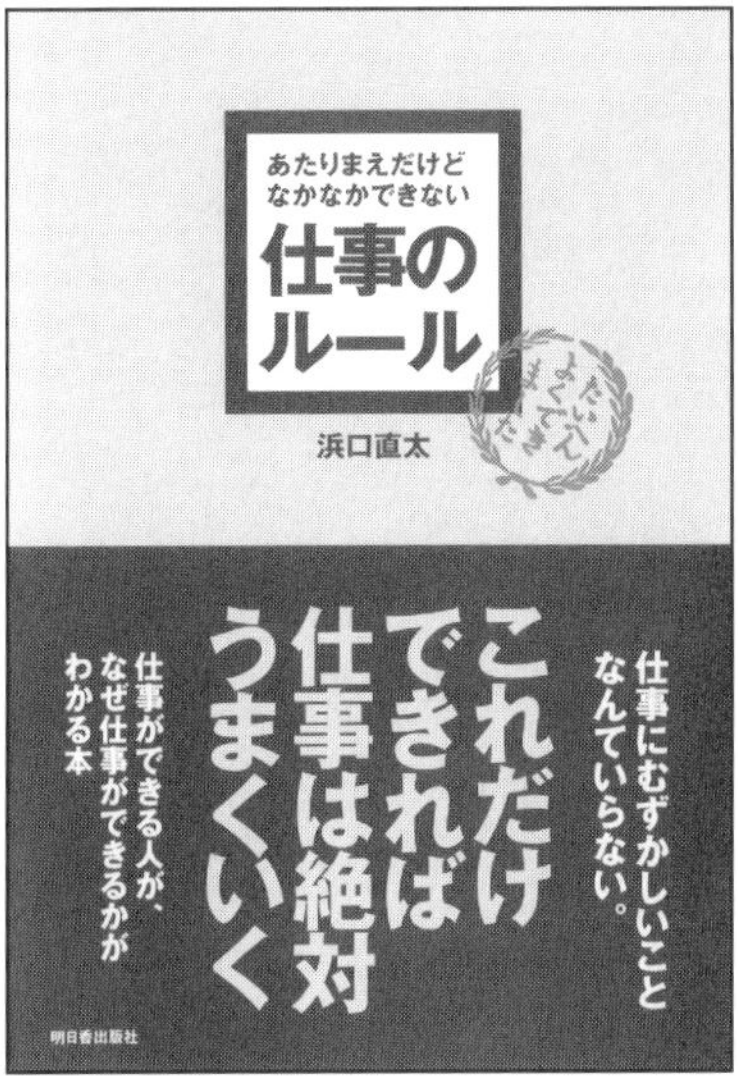

B6判　216頁　本体950円＋税

あたりまえでとても大切であるにもかかわらず、意外と守られていないビジネス上の常識（ルール）を紹介します。誰でも理解できるように、やさしい文章で書かれています。

『あいさつは相手の前まで行って元気よく目を見て』『出退社時はみんなに元気にあいさつしよう』『尊敬語と謙譲語を峻別しよう』『人に不快感を与えない服装に心がけよう』『名刺はいつも持ち歩ききらさないようにしよう』『断わる時はまずお誘いに感謝し丁寧に』『手紙は丁寧に誠意を込めて書こう』など。

ISBN978-4-7569-1649-5

「仕事が速い人」と「仕事が遅い人」の習慣

山本憲明

B6 判　240 頁　本体価格 1500 円＋税

毎日仕事に追われて残業が続き、プライベートが全然充実しない……そんな悩みを抱えているビジネスパーソンのための 1 冊。

「仕事が速い人」と「遅い人」の差なんてほとんどありません。ほんの少しの習慣を変えるだけで、劇的に速くなるのです。

サラリーマンをしながら、税理士・気象予報士をとった著者が、「仕事を速くできるためのコツと習慣」を 50 項目でまとめました。著者の経験を元に書かれており、誰でも真似できる実践的な内容です。

ISBN978-4-7569-1623-5

誰でもデキる人に見える 図解de仕事術

多部田　憲彦

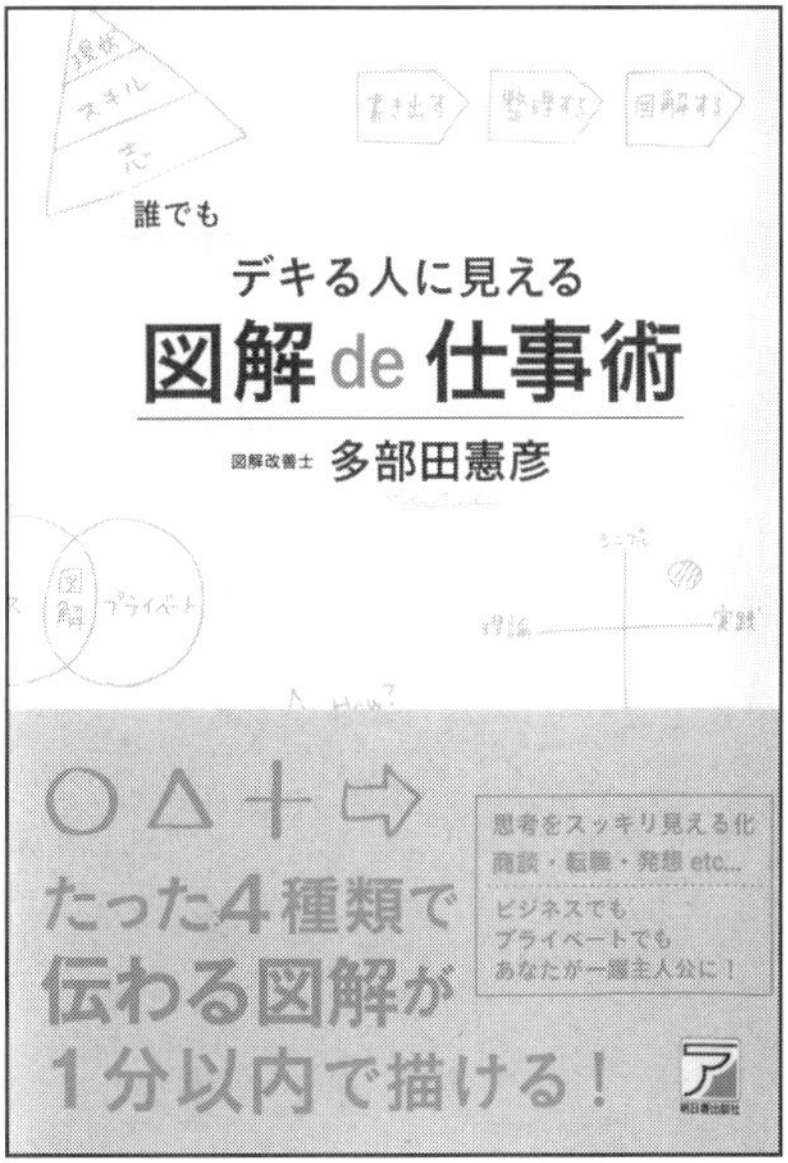

B6判　224頁　本体1400円＋税

日産調達部で世界を股にかけて活躍する著者（でも、もともと＜どもり＞でパリッと論破することやゴリ押しで話をつけることは大の苦手）。
弁舌爽やかでなくても、論理的思考がうまくできなくても、
図解で簡単に問題の解決策を見つけ、場の主導権を握り、
相手とのコミュニケーションを円滑にできる手法を教える。

吉山勇樹著の超ロングセラー

残業ゼロ！仕事が 3 倍速くなる
ダンドリ仕事術

吉山　勇樹著

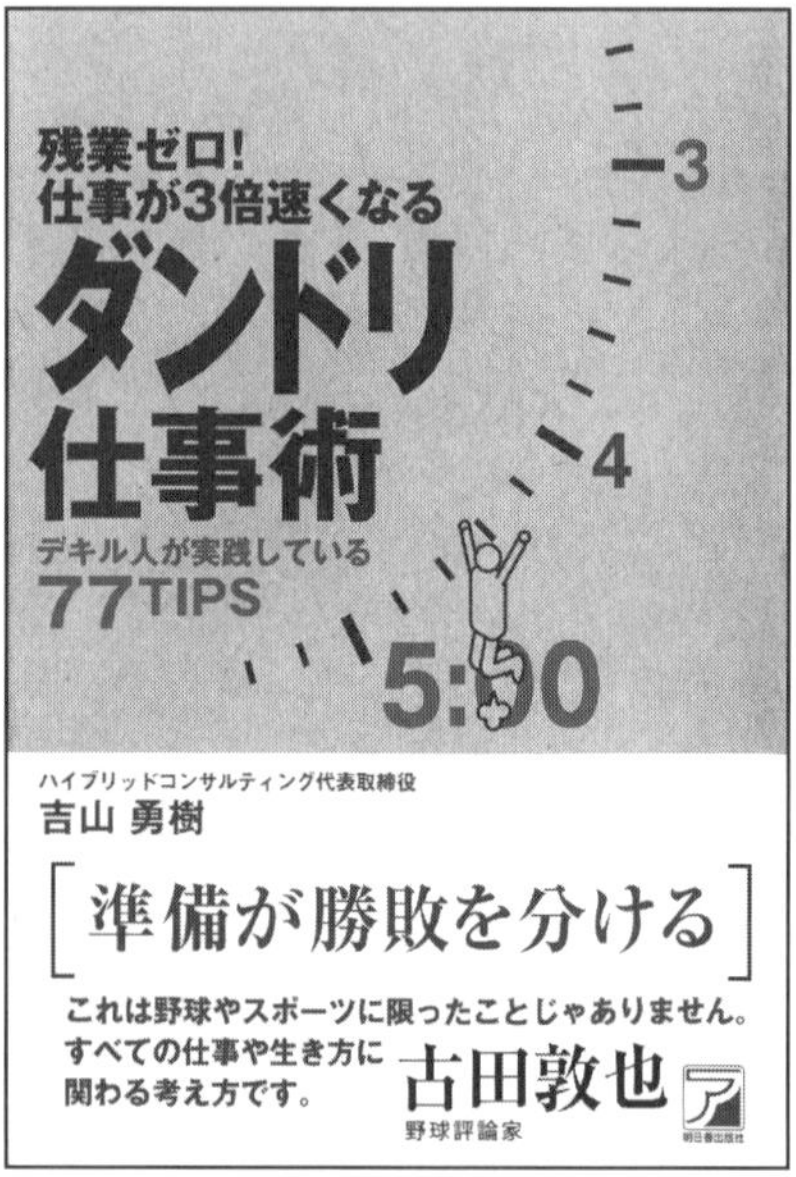

B6 並製　184 ページ　本体 1400 円+税

ISBN978-4-7569-1249-7

ダンドリよく仕事していくための考え方と、著者自身が実践している噛み砕いた TIPS が満載。
机の上が片付かない、締め切りに間に合わない、
仕事もスマートに進められない。
そんな若手ビジネスマンも、この本を読んで今すぐ始められる
ダンドリ仕事術。